Stefan Schwarz

Arbeitsrechtliche Fragestellungen bei der Entsendung von Mitarbeitern ins Ausland

BACHELOR
MASTER
ublishing

Schwarz, Stefan: Arbeitsrechtliche Fragestellungen bei der Entsendung von Mitarbeitern ins Ausland. Hamburg, Bachelor + Master Publishing 2015
Originaltitel der Abschlussarbeit: Die Entsendung von Mitarbeitern ins Ausland. Arbeitsrechtliche Fragestellungen

Buch-ISBN: 978-3-95820-480-5
PDF-eBook-ISBN: 978-3-95820-980-0
Druck/Herstellung: Bachelor + Master Publishing, Hamburg, 2015
Zugl. Universität des Saarlandes, Saarbrücken, Deutschland, Masterarbeit, 2008

Bibliografische Information der Deutschen Nationalbibliothek:
Die Deutsche Nationalbibliothek verzeichnet diese Publikation in der Deutschen Nationalbibliografie; detaillierte bibliografische Daten sind im Internet über http://dnb.d-nb.de abrufbar.

© Bachelor + Master Publishing, Imprint der Diplomica Verlag GmbH
Hermannstal 119k, 22119 Hamburg
http://www.bachelor-master-publishing.de, Hamburg 2015
Printed in Germany

Inhaltsverzeichnis

Abkürzungsverzeichnis

Abs.	Absatz
AEntG	Arbeitnehmer Entsendegesetz
AG	Aktiengesellschaft
AktG	Aktiengesetz
ALG I	Arbeitslosengeld I
ArbGG	Arbeitsgerichtsgesetz
Art.	Artikel
BAG	Bundesarbeitsgericht
BGB	Bürgerliches Gesetzbuch
bspw.	beispielsweise
BetrVG	Betriebsverfassungsgesetz
DB	Der Betrieb (Zeitschrift)
DBA	Doppelbesteuerungsabkommen
d.h.	das heißt
ebd.	ebenda
EGBGB	Einführungsgesetz zum bürgerlichen Gesetzbuche
et al.	et alia – und andere
EU	Europäische Union
EUGVÜ	Europäisches Übereinkommen über die gerichtliche Zuständigkeit und die Vollstreckung gerichtlicher Entscheidungen im Zivil- und Handelssachen
EUGVVO	EG – Verordnung 44/2001 des Rates über die gerichtliche Zuständigkeit und die Anerkennung und Vollstreckung von Entscheidungen in Zivil- und Handelssachen
EVÜ	Europäisches Schuldvertragsübereinkommen
f.	folgende
ff.	fortfolgende
GG	Grundgesetz
ggf.	gegebenenfalls
GmbH	Gesellschaft mit beschränkten Haftung
GewO	Gewerbeordnung
GmbHG	Gesetz betreffend die Gesellschaften mit beschränkter Haftung
Hrsg.	Herausgeber
KSchG	Kündigungsschutzgesetz
i.d.R.	in der Regel

IPR	Internationales Privatrecht
i.V.m.	in Verbindung mit
LAG	Landesarbeitsgericht
LSK	Leitsatzkartei
MuSchG	Mutterschutzgesetz
NachwG	Nachweisgesetz
NJW	Neue Juristische Wochenschrift
NZA	Neue Zeitschrift für Arbeitsrecht
NZA – RR	Neue Zeitschrift für Arbeitsrecht - Rechtsprechungsreport
RdA	Recht der Arbeit (Zeitschrift)
S.	Seite / Satz
SGB	Sozialgesetzbuch
vgl.	vergleiche
v.	vom
z.B.	zum Beispiel
Ziff.	Ziffer

A. Einleitung und Zielsetzung

Der befristete Einsatz von Mitarbeitern[1] in Ausland gehört bereits seit Jahren zum Standardinstrument der Personalarbeit nahezu aller global tätigen Organisationen. Die immer noch zunehmende Internationalisierung der Märkte fordert und fördert diese Mobilität seitens der Mitarbeiter. Als Beispiel für die Relevanz der Auslandsentsendung im Wirtschaftsgeschehen sei hier die Anzahl der ausländischen Tochtergesellschaften international tätiger Unternehmen genannt, welche sich allein im Zeitraum 1996 – 2000 von 266.000 auf 508.000 nahezu verdoppelt hat.[2] Allein für die 100 größten deutschen Unternehmen dürfte die Zahl der entsandten Mitarbeiter bei ca. 60.000 Personen liegen.[3] In der Literatur existiert eine Vielzahl von Standardwerken, welche sich mit der Thematik der Auslandsentsendung von Mitarbeitern beschäftigen, wobei in diesen regelmäßig der Fokus auf den betriebswirtschaftlichen, organisatorischen, persönlichen und sozialen Aspekten der Auslandsentsendung liegt. Als Beispiele seien hier die monetäre Bewertung, die Vorbereitung des Mitarbeiters auf die Entsendung, die Integration im Entsendungsland – ggf. mit Lebenspartner und Kindern – als auch die Reintegration im Heimatland nach abgeschlossener Entsendung genannt.

In der vorliegenden Arbeit soll der Fokus auf die arbeitsrechtlichen Aspekte der Mitarbeiterentsendung ins europäische Ausland inklusive der aktuellen Rechtsprechung gelegt werden, um allen interessierten Parteien einen aktuellen und vollständigen Überblick über dieses sehr relevante Teilgebiet anbieten zu können. Aufgrund des Umfangs der Thematik und vor dem Hintergrund der Relevanz der europäischen Staaten für die Auslandsentsendung von Arbeitnehmern beschränkt sich diese Arbeit auf die für die Mitgliedsstaaten der Europäischen Union einschlägigen Regelungen – die Berücksichtigung von Drittländern wurde bewusst außen vor gelassen. Die Würdigung der steuer- und sozialversicherungsrechtlichen Aspekte der Auslandsentsendung wurde ebenfalls explizit ausgeschlossen, da die Beleuchtung dieser den Rahmen der Arbeit sprengen und den notwendigen Tiefgang im Hinblick auf die arbeitsrechtlichen Themen verhindern würden.

Im **ersten Teil** der Arbeit soll der Frage nachgegangen werden, welche Aspekte des Europäischen Arbeitsrechtes Auswirkungen auf eine Entsendung eines Arbeitnehmers ins Ausland haben können, wobei als Beispiel das anzuwendende Recht sowie der Gerichtsstand auf Basis der entsprechenden Übereinkünfte, Verordnungen und Richtlinien herausgearbeitet werden soll.

---

[1] Aus Gründen der Lesbarkeit wird auf die jeweilige separate Erwähnung der weiblichen Form verzichtet. Selbstverständlich sind jeweils beide Geschlechter gleichberechtigt angesprochen.

[2] Vgl. Kutschker, M. / Schmid, S. (2002), S. 226.

[3] Vgl. Kühlmann, T. (2004), S. 10.

Im **zweiten Teil** der Arbeit sollen die individualrechtlichen Grundsätze hinsichtlich der Auslandsentsendung hinterfragt werden, wobei insbesondere Fragen zur Definition einzelner Begrifflichkei-
ten, möglichen Vertragsmodellen, dem anzuwendenden Recht, den Direktions- und Fürsorgepflichten des Arbeitgebers als auch der Kündigung während des Auslandsaufenthaltes besonde-
res Augenmerk geschenkt wird.

Im **dritten Teil** werden die betriebsverfassungsrechtlichen Aspekte einer Auslandsentsendung
näher beleuchtet, im Speziellen stellen sich hier Fragen nach der Anwendbarkeit des BetrVG, den
Rechten des Betriebsrates sowie der Behandlungen von leitenden Angestellten bei der Entsendung ins Ausland.

Im abschließenden **vierten Teil** soll eine kurze Zusammenfassung die Arbeit abrunden sowie ein
Ausblick die möglichen Entwicklungen hinsichtlich der arbeitsrechtlichen Aspekte der Auslandsentsendung aufzeigen.

B. Anzuwendendes Recht und Gerichtsstand anhand des Europäischen Arbeitsrechts

Kein anderes Rechtsgebiet trägt so effektiv zur Harmonisierung der Wirtschafts- und Lebensbe-
dingen zwischen den Mitgliedsstaaten der EU bei wie das Europäische Arbeitsrecht. Während in
den Jahren nach dem Entstehen der Europäischen Wirtschaftsgemeinschaft eher zögerlich die
Auseinandersetzung mit diesem Rechtsgebiet gesucht wurde, ist seit ca. 1990 ein zunehmendes
Interesse sowohl der Literatur als auch der Unternehmen auf diesem Gebiet zu beobachten.[4]
Durch den Erlass von Rechtsakten (Verordnungen, Richtlinien usw.) ist es dem europäischen
Gesetzgeber möglich, sowohl ein eigenes europäisches Arbeitsrecht zu erzeugen als auch die
einzelnen lokalen Rechtsnormen einander anzugleichen. Ebenfalls besteht die Möglichkeit, nationale Vorschriften mittels Europäischem Kollisionsrecht zu koordinieren. Diese Vorgehensweise
empfiehlt sich vor allem bei extrem voneinander abweichenden und somit kaum europaweit zu
harmonisierenden nationalen Rechtssystemen. Als Beispiel können hier die Rechtssysteme der
verschiedenen Sozialversicherungssysteme der Mitgliedsstaaten angebracht werden, bei welchen
der Gesetzgeber im Moment vorrangig diese Vorgehensweise verwendet. Allerdings dürfte die
Schaffung von Europäischen Rechtskollisionsnormen nur eine vorübergehende Erscheinung sein,
welche mit der voranschreitenden Entwicklung des Europäischen Arbeitsrechts zunehmend an

---

[4] Vgl. Krimphove, D. (2001), S. 1; Heilmann, F. (1991), S. 7 und Thüsing, G. (2008), S. 6ff.

Bedeutung verlieren wird.[5] Heutzutage sind viele Bereiche des Arbeitsrechts von Europäischen Rechtsakten sowie der nicht zu unterschätzenden Rechtsprechung geprägt, wobei es kaum noch Bereiche im Arbeitsrecht gibt, die hiervon nicht betroffen sind. Als Beispiele für den Regelungsbereich des Europäischen Arbeitsrechts seien hier die Personenverkehrsfreiheiten (Arbeitnehmerfreizügigkeit) gem. Art. 39ff. EG, die Gleichbehandlung von Mann und Frau insbesondere durch die Richtlinie 2006/54/EG v. 05.07.2006, welche mit Wirkung zum 15.08.2009 als zentrale Gleichbehandlungsrichtlinie die bisherigen Einzelrichtlinien (75/117/EWG, 76/207/EWG, 97/80/EG) aufhebt und zusammenfasst sowie verschiedenste Regelungen im Individual- und Kollektivarbeitsrecht (Befristung, Teilzeitarbeit, Entsendung, Arbeitszeit, Betriebsübergang, Europäischer Betriebsrat usw.) Die scheinbar geringe Bedeutung des Europäischen Arbeitsrechts im täglichen Leben rührt daher, dass die erlassenen Richtlinien durch die Mitgliedsstaaten in nationales Recht umgesetzt werden und die europäische Herkunft hierdurch verschleiert wird.[6] Nachfolgend soll als Aspekt des Europäischen Arbeitsrechts das Europäische Arbeitskollisionsrecht beispielhaft näher beleuchtet werden.

Das Europäische Arbeitskollisionsrecht befasst sich mit der Thematik, dass bei einem Arbeitsverhältnis, welches Bezug zu mehreren Staaten hat, sich die Frage stellt, welches innerstaatliche Recht anzuwenden und welches nationale Gericht zuständig ist. Ist ein Rechtsstreit bei Gericht anhängig, wendet das Gericht zur Klärung der Frage nach dem anzuwendenden Recht das Internationale Privatrecht (IPR) des jeweiligen Landes an, in dem der Rechtsstreit ausgetragen wird. Die Aufgabe des IPR ist es, zu entscheiden, nach welchem Staates Privatrecht entschieden werden soll – somit ist die Bezeichnung „Internationales Privatrecht" eigentlich irreführend, denn es gibt kein universelles, sondern nur nationales Internationales Privatrecht.[7] Diese rechtlichen Konfliktkonstellationen sollen zum einen durch das Brüsseler Übereinkommen über die gerichtliche Zuständigkeit und die Vollstreckung gerichtlicher Entscheidungen in Zivil- und Handelssachen (EuGVÜ) sowie durch das Römer Übereinkommen über das auf vertragliche Schuldverhältnisse anzuwendende Recht (EVÜ) gelöst werden.[8] Des Weiteren ist zum 01.03.2002 die EG – Verordnung 44/2001 des Rates über die gerichtliche Zuständigkeit und die Anerkennung und Vollstreckung von Entscheidungen in Zivil- und Handelssachen (EuGVVO) vom 22.12.2000 in Kraft getreten, welche gem. Art. 68 Abs. 1 EuGVVO grundsätzlich an die Stelle des EuGVÜ tritt. Allerdings findet die EuGVVO gem. Art. 1 Abs. 3 EuGVVO keine Anwendung auf das Verhältnis zwischen den Mitgliedsstaaten der EU und dem Königreich Dänemark - für dieses gilt weiterhin das

---

[5] Vgl. Krimphove, D. (2001), S. 76.

[6] Vgl. Henssler, M. / Braun, A. (Hrsg.) (2007), S. 5f.

[7] Vgl. Henssler, M. / Braun, A. (Hrsg.) (2007), S. 60.

[8] Vgl. Fuchs, M. / Marhold, F. (2006), S. 301.

EuGVÜ. Aufgrund dieser räumlich begrenzten Weitergeltung des EuGVÜ ist es notwendig, dieses nachfolgend ebenfalls zu betrachten, zusätzlich stimmen EuGVÜ und EuGVVO in vielen Regelungsbereichen nahezu überein.

I. Gerichtsstand in Individualarbeitsrechtssachen nach dem EuGVÜ

Das EuGVÜ ist nach herrschender Ansicht[9] ein normaler völkerrechtlicher Vertrag, durch welchen einheitliche Regelungen getroffen werden sollen, anhand derer die nationalen Gerichte ohne Schwierigkeiten über die eigene Zuständigkeit entscheiden können. Die Auslegung der EuGVÜ obliegt dem EuGH, wobei dieser stets autonom die Begriffe des EuGVÜ bestimmt, da anderenfalls die einheitliche Anwendung als auch die Wirksamkeit dessen nicht sichergestellt werden könnte.[10] Anwendung findet das EuGVÜ gem. Art. 1 EuGVÜ auf Zivil- und Handelssachen, wobei hiervon auch Arbeitsrechtsstreitigkeiten erfasst werden.[11] Art. 2 Abs. 1 EuGVÜ geht davon aus, dass Personen, die ihren Wohnsitz in einem Mitgliedsstaat haben, ohne Rücksicht auf ihre Staatsangehörigkeit vor den lokalen Gerichten des Mitgliedstaates verklagt werden können, wobei gem. Art. 2 Abs. 2 EuGVÜ auch für Personen, die nicht dem Staat, in welchem sie ihren Wohnsitz haben angehören, die für die Inländer maßgeblichen Zuständigkeitsvorschriften anzuwenden sind. Maßgeblich ist somit nach dem EuGVÜ vorrangig der Wohnsitz und nicht die Staatsangehörigkeit des Beklagten. Jedoch weist das EuGVÜ gem. Art. 5 Nr. 1 Halbs. 1 EuGVÜ im Falle von Arbeitsgerichtsstreitigkeiten eine besondere Zuständigkeit an, welche neben die allgemeine Zuständigkeit gem. Art. 2 EuGVÜ tritt. In Abweichung von Art. 2 Abs. 1 EuGVÜ können gem. Art. 5 Nr. 1 Halbs. 1 EuGVÜ Personen die einen Wohnsitz im Hoheitsgebiet eines Vertragsstaates haben, vor einem Gericht in einem anderen Vertragsstaat verklagt werden, wenn ein Vertrag den Gegenstand des Verfahrens bildet und zwar vor dem Gericht des Staates, an dem die Verpflichtung zu erfüllen ist. Art. 5 Nr. 1 Halbs. 1 EuGVÜ begründet somit den besonderen Gerichtsstandes des Erfüllungsortes. Da dies für den Arbeitnehmer im individualarbeitsrechtlichen Prozess einen erheblichen Nachteil darstellen könnte, wurde der Art. 5 EuGVÜ um die Halbsätze 2 und 3 erweitert, wobei das Urteil des EuGH[12] entsprechenden Einfluss gehabt haben dürfte. Durch die Einschränkung des besonderen Gerichtsstandes des Erfüllungsortes wurden somit den besonderen Schutzbedürfnissen der Arbeitnehmer Rechnung getragen.[13] Aufgrund Art. 5 Nr. 1 Halbs. 2 EuGVÜ ist nun der Ort als Gerichtsstand bei Rechtsstreitigkeiten über einen individuellen

---

[9] Vgl. Fuchs, M. / Marhold, F. (2006), S. 301.

[10] Vgl. ebd.

[11] Vgl. Blanpain, R. et al. (1996), S. 209.

[12] EuGH v. 26.05.1982 – Rs 133/81, LSK 1983, 350059; EuGH v. 15.01.1987 – Rs 266/85, NJW 1987, S. 1131; EuGH v. 15.02.1989 – Rs 32/88, LSK 1990, 180177.

[13] Vgl. Fuchs, M. / Marhold, F. (2006), S. 304.

Arbeitsvertrag bestimmt, an welchem der Arbeitnehmer gewöhnlich seine Arbeit verrichtet, wobei dies sowohl für den Arbeitnehmer als auch den Arbeitgeber gilt. Gem. Art. 5 Nr. 1 Halbs. 3 EuG-VÜ kann der Arbeitgeber – nicht aber der Arbeitnehmer – auch dem Ort verklagt werden, an dem sich die Niederlassung befindet, welche den Arbeitnehmer eingestellt hat, dies jedoch nur, wenn der Arbeitnehmer seine Arbeit gewöhnlich nicht in ein und demselben Staat verrichtet. Der Arbeitnehmer soll die Möglichkeit erhalten, vor dem Gericht des Ortes Klage zu erheben, in welchem er seine Arbeitsleistung erbringt, da man regelmäßig davon ausgehen kann, dass das Gericht am Orte der Erbringung der Arbeitsleistung aufgrund der engen Beziehung des Gerichtes zum Arbeitsort die aus Sicht des Arbeitnehmers sachgerechteste Entscheidung treffen kann.[14] Außerdem bedeutet die Führung des Verfahrens am Arbeitsort des Arbeitnehmers für diesen regelmäßig die kostengünstigste Alternative hinsichtlich der Anwalts- und Prozesskosten.[15] Sollte es nicht möglich sein, den gewöhnlichen Arbeitsort des Arbeitnehmers zu definieren, da dieser ständig den Tätigkeitsort wechselt oder kein permanentes Büro hat, so finden die allgemeinen Regelungen des Art. 2 EuGVÜ Anwendung, d.h. bei Klagen gegen den Arbeitnehmer ist als Gerichtsstand der Wohnort des Arbeitnehmers zu bestimmen. Im Gegensatz hierzu steht es dem Arbeitnehmer, dessen gewöhnlicher Arbeitsort nicht zu definieren ist, da dieser ständig den Tätigkeitsort wechselt oder kein festes Büro unterhält, gem. Art. 5 Nr. 1 Halbs. 1 EuVGÜ offen, Klage am Ort der Niederlassung zu erheben, die ihn eingestellt hat. Hierbei ist der Begriff der Niederlassung weit zu wählen und unabhängig von der Rechtspersönlichkeit z.B. eine Niederlassung oder eine Agentur mit einzubeziehen.[16] Es steht den Vertragsparteien offen, eine Gerichtsstandsvereinbarung abzuschließen, dies verlangt jedoch nach verschiedenen Voraussetzungen. Zum Einen bedarf die Gerichtsstandsvereinbarung der Schriftform gem. Art. 17 Abs. 1 EuGVÜ, zum Anderen kann diese gem. Art. 17 Abs. 5 EuGVÜ nur rechtliche Wirkung entfalten, wenn sie nach Entstehung der Streitigkeit getroffen wurde oder der Arbeitnehmern sie geltend macht um ein anderes Gericht als das am Wohnort des Beklagten befindliche oder des in Art. 5 bezeichneten anzurufen.[17] Dennoch kann eine einmal getroffene Gerichtsstandsvereinbarung konkludent bestätigt werden, wenn vor dem vereinbarten – eigentlich unzuständigen – Gericht rügelos verhandelt wird. Durch eine Gerichtstandsvereinbarung engen die Vertragspartner ihre Optionen nicht ein, vielmehr werden diese – im Speziellen für den Arbeitgeber – erweitert.[18] Es dürfte nur in Ausnahmefällen vorkommen, dass die Wahl des Gerichtsstandes auf den tatsächlichen Arbeitsort fällt. Schon die Sprachbarriere dürfte die Vertragsparteien davon abhalten, dass sich zwei Parteien aus einem Staat vor die

---

[14] EuGH v. 09.01.1997 – Rs. C-383/95, NZA 1997, S. 225.

[15] EuGH v. 13.07.1993 – Rs C-125/92, LSK 1997, 180412.

[16] Vgl. Fuchs, M. / Marhold, F. (2006), S. 304f.

[17] Vgl. ebd. S. 306.

[18] Vgl. Laber, J. / Werxhausen, V. / Antoni-May, G. (2003), S. 49.

Gerichtsbarkeit eines anderen Staates begeben. Stattdessen ist anzunehmen, dass ein gut beratener Arbeitgeber die Wahl zugunsten des Entsendestaates treffen wird.[19]

II. Gerichtsstand in Arbeitsrechtssachen nach der EuGVVO

Wie bereits vorab erläutert, ist die EG – Verordnung 44/2001 des Rates über die gerichtliche Zuständigkeit und die Anerkennung und Vollstreckung von Entscheidungen in Zivil- und Handelssachen (EuGVVO) v. 22.12.2000 mit Wirkung zum 01.03.2002 für alle Mitgliedsstaaten der Europäischen Union mit Ausnahme des Königreiches Dänemark in Kraft getreten und löst gem. Art. 68 Abs. 1 die im vorigen Abschnitt erläuterte EuGVÜ ab. Entsprechende Übergangsvorschriften sind in Art. 66 EuGVVO normiert, wobei Abs. 1 ausführt, dass die Vorschriften der EuGVVO nur auf jene Klagen und öffentliche Urkunden anzuwenden ist, welche Erhoben bzw. aufgenommen wurden, nachdem die Verordnung in Kraft getreten ist. Ein relevanter Unterschied der EuGVVO zur EuGVÜ ist darin zu sehen, dass die EuGVVO nicht mehr zwischen allgemeiner und besonderer Zuständigkeit unterscheidet sondern die Zuständigkeit für individuelle Arbeitsvertrage in einem eigenen Abschnitt in Art. 18ff. EuGVVO regelt. Ansonsten wurden die Regelungen und Begründungen der Zuständigkeiten der Gerichte im Wesentlichen inhaltlich aus dem EuGVÜ übernommen.[20] Aus diesem Grunde sollen nachfolgend nur noch jene Punkte angesprochen werden, in welchen sich die EuGVVO von den bereits im vorigen Kapitel angesprochenen Regelungen des EuGVÜ unterscheidet. Ein erster wesentlicher Unterschied ist in Art. 18 Abs. 2 EuGVVO zu erkennen, nach welchem jener Arbeitgeber, welcher einen individuellen Arbeitsvertrag mit einem Arbeitnehmer geschlossen hat und der keinen Wohnsitz im Hoheitsgebiet eines Mitgliedsstaates hat, jedoch in einem Mitgliedsstaat eine Zweigniederlassung, Agentur oder sonstige Niederlassung besitzt, sich bei Streitigkeiten aus dem Betrieb der Niederlassungen so behandeln lassen muss, wie wenn er seinen Wohnsitz im Hoheitsgebiet dieses Mitgliedsstaates hätte. Dies füllt eine Regelungslücke im EuGVÜ aus, in welchem die Geltung des EuGVÜ für Arbeitgeber aus Drittstaaten unklar und umstritten war.[21] Erweitert wurde das Wahlrecht des Arbeitnehmers gegenüber den Regelungen des EuGVÜ dahingehend, dass in Art. 19 Nr. 2a EuGVVO eine weitere Möglichkeit vorgesehen wurde, nach der der Arbeitnehmer den Arbeitgeber in einem anderen Mitgliedsstaat verklagen kann, und zwar vor dem Gericht des Ortes, an dem der Arbeitnehmer zuletzt gewöhnlich seine Arbeit verrichtet hat. Eine weitere Abweichung findet sich in Art. 20 EuGVVO, durch welchen der Arbeitnehmer gegenüber der EuGVÜ einen verstärkten Schutz erfährt. So kann gem. Art. 20 Abs. 1 EuGVVO vom Arbeitgeber nur Klage vor den Gerichten des Mitgliedsstaates erhoben werden, in dessen Hoheitsgebiet der Arbeitnehmern seinen Wohnsitz hat. Die Privilegierung

---

[19] Vgl. Borgmann, B. (2001), S. 141.

[20] Vgl. Henssler, M. / Braun, A. (Hrsg.) (2007), S. 61.

[21] Vgl. Thüsing, G. (2008), S. 340.

gem. Art. 19 EuGVVO gegenüber den allgemeinen Regeln gem. Art. 4, 5 EuGVVO gilt somit nicht für Klagen des Arbeitgebers. Diese Einschränkung sah das EuGVÜ nicht vor, wo der Arbeitnehmer klagen konnte, konnte auch der Arbeitgeber klagen.[22]

III. Römer Übereinkommen

Mit den vorgenannten EuGVÜ bzw. EuGVVO sind zwar Regelungen getroffen aus denen sich bei grenzüberschreitenden Sachverhalten der Gerichtsstand herleiten lässt, jedoch sagen diese nichts über das im Einzelfall anzuwendende Recht aus. Für vertragliche Schuldverhältnisse wurde durch das Römer Übereinkommen über das auf vertragliche Schuldverhältnisse anzuwendende Recht v. 19.06.1980 (EVÜ) eine entsprechende Regelung geschaffen, welches zum 01.04.1991 in der Mehrheit der Mitgliedssaaten in Kraft getreten ist und zwischenzeitlich in allen EU-Mitgliedsstaaten gilt.[23] Mit der Verabschiedung einer europäische Verordnung über das bei Schuldverhältnissen anzuwendende Recht, welche das EVÜ ersetzen wird, ist bis Jahresende 2008 zu rechnen.[24] In Deutschland wurde das EVÜ durch Inkorperation in das EGBGB (Art. 27 – 37 EGBGB) bereits zum 01.09.1986 in nationales Recht umgesetzt. Aus diesem Grund sei hier auf die Ausführungen in Kapitel C IV verwiesen, welche sich an den speziellen Regelungen des EGBGB orientieren.

IV. Entsenderrichtlinie 96/71/EG

Grundsätzlich besteht aufgrund des Art. 49ff EG für Unternehmen die Möglichkeit, Arbeitnehmer im Rahmen der Dienstleistungsfreiheit in andere Staaten zur Erbringung von grenzüberschreitenden Dienstleistungen zu entsenden. Der EuGH hatte sich in der Vergangenheit mehrfach mit der Dienstleistungsfreiheit auseinanderzusetzen[25], als Folge dieser Rechtsprechung wurde mit der Richtlinie 96/71/EG über die Entsendung von Arbeitnehmern im Rahmen der Erbringung von Dienstleistungen (Entsenderichtlinie) eine entsprechende europäische Regelung gefunden, welche sich sowohl der materialrechtlichen als auch der prozessualen Aspekte dieses Problembereichs annimmt. Ziel dieser Richtlinie ist es, das Spannungsverhältnis zwischen der Dienstleistungsfreiheit einerseits und der unterschiedlichen arbeitsrechtlichen Regelungen in den einzelnen Mitgliedsstaaten andererseits, zu regeln, um Wettbewerbsverzerrung aufgrund der unterschiedlichen nationalen Arbeitsgesetzgebung zu vermeiden.[26] Während es in den anderen zuvor erläuter-

---

[22] Vgl. Thüsing, G. (2008), S. 341.

[23] Vgl. Fuchs, M. / Marhold, F. (2006), S. 308.

[24] Vgl. http://ec.europa.eu/prelex/detail_dossier_real.cfm?CL=de&DosId=193666.

[25] Vgl. z.B. EuGH v. 27.03.1990 – Rs C-113/89, NZA 1990, S. 653; EuGH v. 09.08.1994 – Rs C-43/93, LSK 1994, 460225.

[26] Vgl. Fuchs, M. / Marhold, F. (2006), S. 308.

ten kollisionsrechtlichen Regelungen (EuGVÜ, EuGVVO und EVÜ) primär um den Schutz des „schwächeren" Arbeitnehmers ging, dient die Richtlinie 96/71/EG eher dem Schutz der inländischen Unternehmen vor Wettbewerbsverzerrung durch die Entsendung von Arbeitnehmern aus anderen Mitgliedsstaaten, welche in der Regel ein erheblich niedrigeres Lohnniveau im Vergleich zum Inland aufweisen. Der wesentliche materiellrechtliche Regelungsgehalt der Entsenderichtline ist gem. Art. 3 Abs. 1 darin zu sehen, dass die Mitgliedsstaaten verpflichtet werden, Regelungen zu treffen, dass das unabhängig von den auf das jeweilige Arbeitsverhältnis anzuwendende Recht ein Unternehmen dem Arbeitnehmer nicht die Arbeits- und Beschäftigungsbedingen (z.b. Höchstarbeitszeiten, Mindestruhezeiten, bezahlter Mindestjahresurlaub, Mindestlohnsätze, Gesundheitsschutz, Gleichbehandlung von Männern und Frauen usw.) verweigern darf, die am Beschäftigungsort für diese Tätigkeit gelten, sofern sie durch Rechts- oder Verwaltungsvorschriften festgelegt sind.[27] Die Richtlinie 96/71/EG war bis zum 16.12.1999 durch die Mitgliedsstaaten in nationales Recht umzusetzen. Dies wurde durch den deutschen Gesetzgeber durch das Arbeitnehmer – Entsendegesetz (AEntG), welches bereits zum 01.03.1996 in Kraft getreten ist, vorweg genommen. Da der Fokus dieser Arbeit auf der Entsendung von deutschen Arbeitnehmern ins Ausland liegt, wird auf das AEntG nicht weiter eingegangen. Eine Nennung und Wertung der verschiedenen lokalen Umsetzungen der Richtlinie 96/71/EG im EU-Ausland ist in diesem Rahmen natürlich nicht möglich.

C. Rechtliche Grundsätze des Arbeitsrechts

I. Definition und Abgrenzung des Begriffes „Auslandsentsendung"

Der Begriff der „Entsendung" hat sich im Laufe der Zeit entwickelt und hat bei der Verwendung in bestimmten Zusammenhängen eine völlig unterschiedliche Bedeutung, auch wird er in der Literatur oftmals sehr uneinheitlich verwendet.[28] Viele der in diesem Themenkreis angesiedelten Begriffe wie z.B. „Entsendung", „Abordnung", „Versetzung", „Assignment", „Delegation", „Dienstreise" oder „Visitation" werden synonym verwendet oder überschneiden sich inhaltlich. Der Gesetzgeber hat bisher keine Notwendigkeit gesehen, eine generelle Definition einzuführen. Um Missverständnisse auszuschließen ist es aus diesem Grund erforderlich, eine Festlegung auf einzelne Begriffe vorzunehmen als auch eine entsprechende Definition dieser durchzuführen, im Speziellen um einen einheitlichen Sprachgebrauch in dieser Arbeit zu gewährleisten als auch um die Entsendung von den anderen Arten des Mitarbeitereinsatzes im Ausland abzugrenzen.

---

[27] Vgl. Fuchs, M. / Marhold, F. (2006), S. 314ff.

[28] Vgl. bspw. Djarrahzadeh, M. / Schwuchow, K. (1993), S.52; Kühlmann, T. (2004), S. 4, Israel, N. (2006), S. 68; Mütze, K. / Popp, M. (2007), S.26; Kollinger, I. (2005), S. 20.

1. Entsendung

Der Ursprung des Begriffes „Entsendung" findet sich im deutschen Sozialversicherungsrecht. Er bezeichnet den befristeten Auslandsaufenthalt eines Mitarbeiters im Rahmen seiner beruflichen Tätigkeit – in der Regel für ein in Deutschland ansässiges Unternehmen – im Rahmen eines inländischen Beschäftigungsverhältnisses[29]. Auch eine Beschäftigung für ein verbundenes oder befreundetes Unternehmen im Rahmen von Projekten, Know-how-Transfers oder Traineeprogrammen ist denkbar[30]. Im Vorgriff auf die noch folgenden Definitionen sei bereits hier festgehalten, dass der Fokus dieser Arbeit trotz der teilweisen synonymen Verwendung der Begriffe auf der Entsendung mit einer Dauer von einem bis zu fünf Jahren – dem sogenannten Assignment – liegt, wobei die Eingliederung des Mitarbeiters in die inländische Gesellschaft erhalten bleibt.

2. Abgrenzung weiterer Begriffe

a) Dienstreise

Die Dienstreise ist die am häufigsten vorkommende Form des Tätigwerdens von Mitarbeitern im Ausland, wobei es sich in der Regel um Zeiträume von maximal drei Monaten handelt. Die Begrenzung der Dienstreise auf drei Monate ist im Steuerrecht zu suchen, da bis zu diesem Zeitraum die steuerfreie Erstattung von entsprechenden Zulagen an den Mitarbeiter gewährt werden kann. Die Dienstreise ist im engeren Sinne nicht als Entsendung anzusehen, da sowohl die Eingliederung des Mitarbeiters im Mutterunternehmen weiterbesteht, der ursprüngliche Anstellungsvertrag des Mitarbeiters nicht abgeändert oder ersetzt wird als auch der Lebensmittelpunkt des Mitarbeiters weiterhin im Inland verbleibt.

b) Abordnung

Die Abordnung stellt eine kurzfristige Auslandsentsendung mit einem Zeithorizont von 3 – 12 Monaten dar, wobei der Lebensmittelpunkt weiterhin im Inland zu suchen ist, d.h. der Wohnsitz im Inland wird beibehalten und die Familie verbleibt ebenfalls am Heimatort, da eine Umsiedlung für einen derart überschaubaren Zeitraum aus Integrationsgründen als kaum zu rechtfertigen anzusehen ist. Die Regelungspunkte des Abordnungsvertrages beziehen sich hierbei im Wesentlichen auf zusätzliche Vergütungsbestandteile.[31] Bei einem Entsendungszeitraum von länger als 6 Monaten ist es notwendig, die steuerrechtlichen Regelungen hinsichtlich der 183-Tage-Regelung zu beachten und die vertraglichen Regelungen hierauf entsprechend abzustimmen. Auch sei in diesem Zusammenhang darauf hingewiesen, dass in einigen DBA´s nicht das Kalenderjahr als Basis

---

[29] Vgl. Heuser, A. (2004), S. 16.

[30] Vgl. Kollinger, I. (2005), S. 19.

[31] Vgl. Heuser, A. (2004), S. 17.

herangezogen wird, sondern auf einen 12-Monatszeitraum abgestellt wird. Die steuerrechtliche Betrachtung und Wertung einer Abordnung ist von immenser Bedeutung sowohl für das entsendende Unternehmen als auch den Mitarbeiter, da hierbei die Gefahr von Doppelbesteuerung besteht – aus diesem Grunde sollte die steuerrechtliche Beurteilung auf jeden Fall Spezialisten aus der Personalabteilung oder einem Steuerberater überlassen werden.[32]

c)   Delegation

Die Delegation stellt einen Auslandseinsatz des Mitarbeiters von einem bis zu fünf Jahren dar, wobei sich der Lebensmittelpunkt in das Entsendungsland verschiebt, allerdings nach Ablauf des Zeitraums de Absicht besteht, ins Inland zurückzukehren. Die Obergrenze von fünf Jahren ist ein Erfahrungswert, welcher sich aus den sozialversicherungsrechtlichen Vorschriften aufgrund der bilateralen Sozialversicherungsabkommen ergibt, welche die Bundesrepublik Deutschland mit einer großen Anzahl von Staaten sowohl im EU-Raum als auch weltweit geschlossen hat. Greifen diese Abkommen nicht, so muss der Mitarbeiter im Ausland Sozialversicherungsbeiträge abführen, was z.B. im Rahmen der Arbeitslosen- und Rentenversicherung regelmäßig nicht erwünscht ist. Es ist allerdings zusätzlich zu beachten, dass bei längeren Auslandsaufenthalten die Reintegration des Mitarbeiters zunehmend schwieriger wird, da sich der Mitarbeiter im Entsendungsland nach drei Jahren im Regelfall komplett integriert hat.[33]

d)   Versetzung

Von einer Versetzung spricht man, wenn das inländische Beschäftigungsverhältnis beendet wird und der Mitarbeiter einen Anstellungsvertrag im Ausland erhält, allerdings weiterhin eine Heimatanbindung gewährt werden soll. Für den Mitarbeiter gelten dann die örtlichen Rechtsvorschriften im Entsendungsland. Hinsichtlich der arbeitsvertraglichen Regelungen besteht die Möglichkeit, dem Mitarbeiter entweder eine Wiedereinstellungszusage auszusprechen oder aber eine zeitliche befristete Versetzung durchzuführen, für deren Dauer das ursprüngliche Arbeitsverhältnis ruhend gestellt wird. Auch in diesem Zusammenhang ist auf die speziellen Regelungen des Sozialversicherungsrechtes als auch auf den Verbleib der betrieblichen Altersversorgung zu achten.[34]

II.   Definition und Rechtsqualität des Begriffes „Expatriate"

Der Begriff des Expatriates wird sehr unterschiedlich verwendet. In der Regel wird hierunter ein deutscher Mitarbeiter verstanden, welcher für ein inländisches Unternehmen im Ausland tätig wird. Ebenso ist unter dem Begriff des Expatriates aber auch jener ausländische Mitarbeiter zu

---

[32] Vgl. Mütze, K. / Popp, M. (2007), S.30.

[33] Vgl. Mütze, K. / Popp, M. (2007), S. 32.

[34] Vgl. ebd. S.33.

fassen, welcher für ein ausländisches Unternehmen im Inland tätig wird. Letztgenannte Gruppe soll nicht Gegenstand dieser Arbeit sein.

Es ist des Weiteren notwendig, eine Differenzierung hinsichtlich der Eigenschaft durchzuführen, in welcher der Mitarbeiter ins Ausland entsandt wird. Es stellt aus rechtlicher Sicht einen erheblichen Unterschied dar, ob der Mitarbeiter als Organmitglied einer juristischen Person (z.B. Geschäftsführer einer GmbH, Vorstandsvorsitzender einer AG), als Führungskraft, als (leitender) Angestellter oder als Arbeiter ins Ausland entsandt wird.[35]

Die Bewertung, ob ein Expatriate als Führungskraft anzusehen ist, ist an seiner tatsächlichen Aufgabenstellung und an seinen Kompetenzen festzumachen, wobei dies regelmäßig eine Einzelfallentscheidung sein wird. In der Personalwirtschaft wird als Führungskraft eine Person angesehen, welche unterstellte Mitarbeiter (an-) leitet und in einer verantwortungsvollen Position tätig ist. Im Regelfall ist eine Führungskraft im Rechtssinne ein Angestellter. Die weitergehende Differenzierung in Arbeiter oder Angestellter ist in § 5 Abs.1 S.1 ArbGG vorgenommen, in welcher postuliert wird, dass Arbeiter alle Arbeitnehmer sind, welche nicht Angestellte sind. Hierzu ist weitergehend § 133 Abs. 2 SGB VI heranzuziehen, welcher exemplarisch Personengruppen aufzählt, die den Angestellten zuzuordnen sind. Ergänzend hat auch die Rechtsprechung Unterscheidungskriterien herausgearbeitet, wobei der Angestellte überwiegend als „Kopfarbeiter" und der Arbeiter als „Handarbeiter" eingestuft wird. Abschließend kann zur Unterscheidung die Verkehrsanschauung herangezogen werden, wobei z.B. die Qualifizierung als Angestellter oder Arbeiter in einem Tarifvertrag als wesentliches Indiz anzusehen ist.[36] Der leitende Angestellte gilt auch als Arbeitnehmer, lediglich im Bereich des Betriebsverfassungsrechtes – § 5 Abs. 3 BetrVG – ist hier eine Sonderregelung zu finden, wonach der leitende Angestellte nicht als Arbeitnehmer im Sinne des Gesetzes gilt. Diese Regelung kann sich als durchaus relevant herausstellen, wenn der Expatriate nicht dem gehobenen Führungskreis angehört und somit die Mitbestimmungsrechte des Betriebsrates Anwendung finden – hier sei auf Abschnitt D dieser Arbeit verwiesen. Nach herrschender Meinung sind die Organmitglieder juristischer Personen nicht zu den Arbeitnehmern zu zählen. Für die Vorstandsmitglieder von Aktiengesellschaften ergibt sich dies direkt aus § 76 Abs. 1 AktG, da der Vorstand unter eigener Verantwortung die Gesellschaft zu leiten hat. Im Falle eines GmbH-Geschäftsführer stellt sich die Lage nicht so eindeutig dar, „...da die von der gesellschaftsrechtlichen Weisungsgebundenheit geprägte Organstellung des Geschäftsführers (§ 37 GmbHG) mit einer persönlichen Abhängigkeit verbunden sein kann."[37] Hieraus folgt die Notwendigkeit zur Unterscheidung hinsichtlich der Arbeitnehmereigenschaft des Geschäftsführers im Einzelfall.

---

[35] Vgl. Heuser, A. (2004), S. 17.

[36] BAG v. 04.08.1993 – 4 AZR 515/92, NZA 1994, S.39.

[37] Vgl. Heuser, A. (2004), S. 18f.

III. Mögliche Vertragsmodelle

Die Vertragsgestaltung bei der Auslandsentsendung erweist sich sowohl für das Unternehmen als auch den Mitarbeiter als komplexe Rechtsmaterie, welche vor allem für den Expatriate existenzbedrohende Auswirkungen haben kann. So besteht z.b. die Gefahr der Doppelbesteuerung, das Risiko des Wegfall der sozialen Absicherung (z.b. kein Anspruch auf Leistungen aus dem ALG I aufgrund der Auslandstätigkeit bei Rückkehr aus dem Ausland mit anschließender Arbeitslosigkeit), die Möglichkeit hoher Umzugskosten oder die Gefahr des „Kaltstellens" des Mitarbeiters bei dessen Rückkehr aus dem Ausland aufgrund bereits besetzter Positionen im Stammhaus. Aus diesem Grunde sollten alle Arbeitnehmer, welche länger als drei Monate ins Ausland entsandt werden, mit dem Unternehmen einen Vertrag abschließen, in welchem die relevanten Aspekte des Auslandsaufenthaltes – insbesondere Wiedereingliederung, Vergütung, soziale Sicherheit und die Kompensation privater Kosten (Familiennachzug, Heimflüge usw.) explizit geregelt werden.[38]

Es ist hier auch explizit darauf hinzuweisen, dass das einseitige Weisungsrecht des Arbeitgebers keine ausreichende Rechtsgrundlage für die Entsendung eines Mitarbeiters darstellt.[39] Der Abschluss eines Entsendungsvertrages ist seit 1995 auch durch das Nachweisgesetz gesetzlich vorgeschrieben, wobei gem. § 2 Abs.2 NachwG folgende Punkte als wesentliche Vertragsbestimmungen explizit Berücksichtigung finden müssen:

- Die Dauer der im Ausland auszuübende Tätigkeit
- Die Währung, in der das Arbeitsentgelt ausgezahlt wird
- Ein zusätzliches mit dem Auslandsaufenthalt verbundenes Arbeitsentgelt und damit verbundene Sachleistungen
- Die vereinbarten Bedingungen für die Rückkehr des Arbeitnehmers

Ein einheitliches Bild des Entsendungsvertrages gibt es nicht, da immer sowohl auf die individuelle Situation des Unternehmens und des Arbeitnehmers abgestellt werden muss als auch die Intension der Entsendung eine entscheidende Rolle spielt. In der Praxis hat sich eine Anzahl von Entsendungsverträgen etabliert, welche nachfolgend dargestellt werden sollen.

1. Einvertragsmodell

Das Einvertragsmodell findet Anwendung, wenn der Arbeitnehmer ausschließlich für den Zweck eingestellt wird, seine Arbeitsleistung im Ausland zu erbringen. Der Arbeitnehmer erhält alleinig

---

[38] Vgl. Kammel, A. / Teichelmann, D.(1994), S. 86.
[39] Vgl. Heuser, A. (2004), S. 19.

den Entsendevertrag, aus diesem Grunde auch die Bezeichnung als Einvertragsmodell. Mit der Heimatgesellschaft besteht keine weitere vertragliche Bindung.

2. Zweivertragsmodell

Da der Mitarbeiter in der Regel bereits in einem inländischen Unternehmen tätig ist, existiert mit diesem ein Dienstvertrag nach deutschem Recht. Für den Zeitraum der Entsendung wird nun ein ergänzender Entsendungsvertrag geschlossen, welcher die für diesen Zeitraum geltenden zusätzlichen Regelungen hinsichtlich der Leistungspflichten und Rechte erfasst. Hieraus folgt, dass der Mitarbeiter für diesen Zeitraum zwei gültige Verträge hat, wobei oftmals die sich aus dem Hauptvertrag ergebenden Hauptpflichten für den Zeitraum der Entsendung ruhend gestellt werden. Das Zweivertragsmodell ist die in der Praxis am häufigsten anzutreffende Gestaltungsform.[40]

3. Übertrittsmodell

Übertritt bedeutet in diesem Zusammenhang, dass das inländische Arbeitsverhältnis – in der Regel durch einen Aufhebungsvertrag – beendet wird und der Arbeitnehmer mit der ausländischen Gesellschaft einen neuen, vom inländischen Arbeitsverhältnis losgelösten, Dienstvertrag abschließt. Grundlage dieses ausländischen Dienstverhältnisses sind dann die lokal gültigen Rechtsvorschriften. Diese Gestaltungsform findet häufig Anwendung, wenn die maximale Entsendungsdauer ausgenutzt werden soll. Allerdings ist bei dieser Form der vertraglichen Vereinbarung darauf zu achten, dass ggf. erworbene Ansprüche aus der betrieblichen Altersversorgung entsprechend übertragen werden.

4. Mehrvertragsmodell

Beim Mehrvertragsmodell tritt der mit der ausländischen Gesellschaft geschlossene Dienstvertrag – anders als wie beim Übertrittsmodell – nicht an die Stelle des inländischen Dienstvertrages, sondern daneben. Hintergrund hierfür ist, dass es in einigen Ländern zwingend erforderlich ist, mit ausländischen Mitarbeitern einen lokalen Dienstvertrag zu schließen, da ansonsten eine Beschäftigung nicht möglich ist. Somit regelt der lokale Dienstvertrag im Ausland die Beziehungen zum ausländischen Unternehmen, während der inländische Dienstvertrag sowie der Entsendungsvertrag (ggf. mit Ruhensvereinbarung) weiterhin die rechtliche Beziehung zum inländischen Unternehmen regelt.[41]

---

[40] Vgl. Mütze, K. / Popp, M. (2007), S. 71.

[41] Vgl. Heuser, A. (2004), S. 20.

5. Vertragssprache

Abschließend sei hier noch auf die Relevanz der Vertragssprache eingegangen. Unabhängig vom gewählten Vertragsmodell, stellt sich oftmals die Frage, in welcher Sprache der jeweilige Arbeitsvertrag abgefasst werden soll. In der Praxis finden sich hier oftmals zweisprachige Vertragsmodelle, wobei der Regelfall die Abfassung in englischer und deutscher Sprache ist.[42] Diese doppelte Gestaltung erscheint entbehrlich, vor allem wenn kein ausländischer Arbeitsvertrag neben oder an die Stelle des deutschen Anstellungsvertrages tritt. Allerdings kann die zweisprachige Gestaltung des Arbeitsvertrages dann eine entscheidende Bedeutung haben, wenn es zu Rechtsstreitigkeiten kommt. Insbesonders kritisch ist es hier zu sehen, wenn sich aus dem Arbeitsvertrag ein Gerichtsstand im Ausland ergibt. Dies kann dazu führen, dass der in deutscher oder englischer Sprache abgefasste Arbeitsvertrag vor dem ausländischen Gericht als unzureichend anzusehen ist. Dies ist z.B. in Polen der Fall, wo Art. 8 des Gesetzes über die polnische Sprache festlegt, dass ein im Staatsgebiet von Polen durchgeführter Arbeitsvertrag, d.h. mindestens eines der Vertragssubjekte muss polnisch sein, zur Rechtswirksamkeit verpflichtend in polnischer Sprache verfasst sein muss. Auch in anderen Ländern wie z.B. Frankreich ist eine entsprechende Tendenz zur Wahrung der eigenen Sprachindentität zu beobachten, aus diesem Grunde sind bei der Wahl der Vertragssprache die örtlichen gesetzlichen Regelungen unbedingt zu beachten. Zusätzlich sollte einer sprachlichen Vertragsvariante der Vorrang durch eine entsprechende Klausel in beiden Verträgen eingeräumt werden, um bei Auslegungs- und Interpretationsnotwendigkeit dieser den Vorrang zu gewähren.[43]

IV. Rechtswahl

Welcher Recht – inländisches oder ausländisches – auf das Dienstverhältnis in seinen verschiedenen Konstellationen anwendbar ist, entscheidet sich seit der Neuregelung des IPR im Jahre 1986 nach den Art. 27ff EGBGB, insbesondere nach Art. 30 EGBGB, welche die Umsetzung des EVÜ in nationales Recht darstellen (Siehe hierzu auch die Ausführungen zum Europäischen Arbeitsrecht in Kapitel D). Nach Art. 27 Abs. 1 S.1 i.V.m. Art 30 Abs. 1 EGBGB steht es den Parteien des Arbeitsvertrages aufgrund der Vertragsfreiheit grundsätzlich frei, welches Recht gewählt wird, wobei die Rechtswahl grundsätzlich zu Beginn des Vertrages, also bei Vertragsabschluss, zu erfolgen hat. Eine spätere Modifizierung der Rechtswahl ist gem. Art. 27 Abs. 2 EGBGB jedoch ausdrücklich möglich. Die Vertragsparteien werden sich regelmäßig entweder auf das inländische oder das ausländische Recht verständigen, jedoch ist es grundsätzlich auch möglich, das Recht eines Drittstaates zur Anwendung zu bringen – über die Sinnhaftigkeit einer solchen Wahl ist si-

---

[42] Vgl. Laber, J. / Werxhausen, V. / Antoni-May, G. (2003), S. 27.

[43] Vgl. ebd.

cherlich zu diskutieren.[44] Grundsätzlich kann die Rechtswahl ausdrücklich oder konkludent getroffen werden, sie kann jedoch auch ganz unterbleiben.[45]

1. Ausdrückliche Rechtswahl

Die Rechtswahl muss gem. Art. 27 Abs. 1 S. 2 EGBGB ausdrücklich sein oder sich mit hinreichender Sicherheit aus den Bestimmungen des Vertrages oder aus den Umständen ergeben. Die Rechtswahl erfolgt in der Regel durch eine entsprechende Klausel im Arbeitsvertrag, wobei sowohl pauschal auf das Recht eines Staates Bezug genommen werden kann als auch bezüglich einzelner Bereiche auf ein bestimmtes Recht verwiesen werden kann. In diesem Falle liegt eine sogenannte Teilrechtswahl vor, wobei Voraussetzung ist, dass auf sinnvoll abgrenzbare Bereiche einer Rechtsordnung Bezug genommen wird. So ist es z.B. möglich, dass zwischen Unternehmen und einem Arbeitnehmer, welcher in die Vereinigten Staaten von Amerika entsendet werden soll, zu vereinbaren, dass das Dienstverhältnis grundsätzlich den dortigen Arbeitsbedingungen unterstellt werden soll, der Arbeitnehmer aber gleichzeitig dem deutschen Kündigungsschutz unterliegt.[46]

2. Konkludente Rechtswahl

Die Möglichkeit der konkludenten Rechtswahl besteht zwar grundsätzlich, sie darf gem. Art. 27 Abs. 1 S. 2 EGBGB aber nur angenommen werden, wenn sich ein entsprechender realer Parteiwille mit hinreichender Sicherheit entweder aus den Bestimmungen des Vertrages oder sich aus den Umständen des Falles ergibt. Indizien für das Vorliegen einer konkludenten Rechtswahl sind z.B. die Vereinbarung eines Gerichtsstandes, da davon ausgegangen werden kann, dass der Richter nach seinem eigenen Recht entscheiden soll[47], auch hat das BAG die arbeitsvertragliche Inbezugnahme eines deutschen Tarifvertrages als Wahl des deutschen Rechts gewertet.[48] Ebenfalls hat das BAG eine konkludente Rechtswahl bejaht, wenn in einem Schreiben des Arbeitgebers – welches Grundlage für die Einstellung war – dieser die gesetzlichen Kündigungsfristen, die bei ihm geltenden Tarifverträge und seine betriebliche Ordnung für anwendbar erklärt hat.[49] Als problematisch ist es jedoch anzusehen, wenn das BAG eine stillschweigende Rechtswahl aus dem Umstand herleitet, dass die Begründung des Arbeitsverhältnisses, die Nationalität des Vertragsparteien sowie die überwiegende Durchführung einem bestimmten Land zugeordnet werden

---

[44] Vgl. Thüsing, G. (2008), S. 321ff.

[45] BAG v. 15.02.2005 – 9 AZR 116/04, NZA 2005, 1117.

[46] BAG v. 23.04.1998 – 2 AZR 489/97, NZA 1998, 995.

[47] LAG Niedersachsen v. 20.11.1998 – 3 Sa 909/98, BeckRS 1998 30464564.

[48] BAG v. 15.02.2005 – 9 AZR 116/04, NZA 2005, 1117.

[49] BAG v. 26.07.1995 – 5 AZR 216/94, NZA 1996, S. 30.

können, es sich also ganz überwiegend um einen Inlands- oder Auslandssachverhalt handelt. In diesen Fälle ist weniger davon auszugehen, dass sich die Vertragsparteien – ggf. auch stillschweigend – für die Anwendung eins bestimmten Rechtes entschieden haben, vielmehr kann unterstellt werden, dass die Vertragsparteien davon ausgehen, dass ein bestimmtes Recht anwendbar ist, ohne dass eine vertragliche Vereinbarung hierfür erforderlich ist. Die Rechtswahl verlangt eine bewusste Einigung und kann nicht daraus hergeleitet werden, dass die Anwendung eines bestimmten Rechtes naheliegend ist.[50] [51] Eine Rangfolge zwischen den zu berücksichtigten Umständen lässt sich allerdings nicht festlegen, hier ist im Einzelfall zu entscheiden.[52] Wie aus den vorgenannten Urteilen ersichtlich, stellt die Annahme einer konkludenten Rechtswahl durch die Gerichte alle Beteiligten oftmals vor erhebliche Probleme und ist mit nicht zu unterschätzenden Risiken verbunden und sollte aus diesen Gründen tunlichst vermieden werden.

3.   Fehlende Rechtswahl

Ist die Rechtswahl weder ausdrücklich noch konkludent dem Dienstvertrag zu entnehmen, so bestimmt sich das anzuwendende Recht gem. Art. 30 Abs. 2 EGBGB im Rahmen der objektiven Anknüpfung. Gem. Art. 30 Abs. 2 Ziff. 1 EGBGB ist hierfür der Ort maßgeblich, an welchem der Arbeitnehmer in Erfüllung seiner vertraglichen Pflichten gewöhnlich seine Arbeit verrichtet; eine vorübergehende Entsendung in ein anderes Land steht dieser nicht entgegen. Diese Einschränkung der „vorübergehenden Entsendung" bedarf erläuternder Worte, da die deutschen Gerichte noch nicht entschieden haben, welchen Zeitraum diese Formulierung abdeckt. Die herrschende Meinung. geht davon aus, dass jede nicht endgültige Entsendung unbeachtlich ist und auch durch eine längere Entsendung der ausländische Arbeitsort nicht zum Regelanknüpfungspunkt wird. Was seinen Ursprung und sein Ende im selben Staat haben soll, hat auch regelmäßig zu diesem Staat die engste Bindung.[53] Aus Art. 30 Abs. 2 Ziff. 2 EGBGB folgt weiterhin, dass alternativ der Ort für das anzuwendende Recht entscheidend ist, an dem sich die Niederlassung befindet, mit welcher der Arbeitnehmer seinen Dienstvertrag geschlossen hat, sofern der Arbeitnehmer seine Arbeit gewöhnlich nicht an ein und demselben Ort verrichtet. Für den Regelfall sind somit recht klare Anknüpfungspunkte benannt. Allerdings schränkt Art. 30 Abs. 2, 2. Halbsatz EGBGB dahingehend ein, dass die beiden zuvor angeführten Regelanknüpfungen nur dann wirksam werden, wenn sich nicht aus der Gesamtheit der Umstände ergibt, dass der Dienstvertrag eine engere Verbindung zu einem anderen Staat aufweist, in diesem Fall ist das Recht dieses anderen Staates anzuwenden. Die Rechtsprechung hat verschiedene Kriterien herausgearbeitet, welche gem.

---

[50] BAG v. 17.07.1997 – 8 AZR 328/95, NZA 1997, 1182.

[51] Vgl. Thüsing, G. (2008), S. 323.

[52] Vgl. Heuser, A. (2004), S. 44.

[53] Vgl. Thüsing, G. (2008), S. 329f mit weiteren Quellen.

Art. 30 Abs. 2, 2. Halbsatz EGBGB dazu führen, dass abweichend von der Regelanknüpfung das deutsche Recht zur Anwendung kommt. Als insoweit beachtliche Merkmale sind anerkannt worden die Staatsangehörigkeit der Parteien, der Sitz des Unternehmens, die Vertragssprache, die Währung, in der die Vergütung zu zahlen ist, der Ort des Vertragsschlusses, der Wohnsitz des Arbeitnehmers als auch der Arbeitsort.[54]

4. Günstigkeitsvergleich

Als weiteren relevanten Aspekt sei in diesem Zusammenhang noch auf den Günstigkeitsvergleich hingewiesen, welcher aus Art. 30 Abs. 1 EGBGB folgt. Denn auch wenn sich die Vertragspartner auf ein anzuwendendes Recht verständigt und dies im Dienstvertrag fixiert haben, ist das sich nach objektiver Anknüpfung ergebende Recht zu ermitteln. Art. 30 Abs. 1 EGBGB führt hierzu aus, dass eine Rechtwahl nicht dazu führen darf, dass dem Arbeitnehmer der Schutz entzogen wird, der ihm durch die zwingenden Bestimmungen des Rechtes gewährt wird, welches nach Art. 30 Abs. 2 EGBGB mangels einer Rechtswahl anzuwenden wäre. Der Hintergrund für diese Einschränkung ist leicht zu ergründen – dem Missbrauch ständen Tür und Tor offen. So könnte der Arbeitgeber den Arbeitnehmer überreden oder drängen, z.B. das Arbeitsrecht der Vereinigten Staaten von Amerika als geltendes Recht zu wählen – himmlische Bedingungen für den Arbeitgeber: kein bezahlter Mindesturlaub, keine Entgeltfortzahlung im Krankheitsfall, kein bezahlter Mutterschaftsurlaub, kein allgemeiner Kündigungsschutz, keine Betriebsräte. Aus diesem Grunde ist ein Günstigkeitsvergleich zwischen den gewählten Recht und dem sich aus der objektiven Anknüpfung ergebenden Recht erforderlich. Bei Einführung des Günstigkeitsgrundsatzes wurde befürchtet, dass die Arbeitnehmer sich die für sie günstigsten Regelungen aus jedem Recht picken („Rosinenpickerei") würden – dies ist jedoch nicht eingetreten. Vielmehr hat der Günstigkeitsvergleich in der Praxis nahezu keine Bedeutung – es gibt in der deutschen Rechtsprechung keine einzige Entscheidung, in der es tatsächlich auf den Günstigkeitsvergleich ankam – in allen Fällen lag keine Rechtswahl vor oder diese entsprach dem in objektiver Anknüpfung anzuwendendem Recht.[55]

5. Zwingendes ausländisches Recht – Ordre Public

Gem. Art. 6 S.1 EGBGB ist die Rechtsnorm eines anderen Staates nicht anzuwenden, wenn ihre Anwendung zu einem Ergebnis führen würde, welche mit den wesentlichen Grundsätzen des deutschen Rechts offensichtlich unvereinbar ist. Da nahezu alle Staaten ähnliche gesetzliche Regelungen verwenden, kann das ausländische Recht regelmäßig durch Rechtswahl zwischen den

---

[54] Vgl. BAG v. 24.08.1989 – 2 AZR 3/89, NZA 1990, S. 841; BAG v. 29.10.1992 – 2 AZR 267/92, NZA 1993, S. 743 und BAG v. 03.05.1995 – 5 AZR 15/94, NZA 1995, S. 1191.
[55] Vgl. Thüsing, G. (2008), S. 331f.

Vertragsparteien nicht vollständig ausgeschlossen werden. Der Ordre Public betrifft i. d. R. das Ordnungsrecht des ausländischen Staates, im Speziellen z.b. Steuerrecht, Sozialversicherungsrecht, Aufenthalts- und Arbeitsrecht und Feiertagsrecht. Im Umkehrschluss ist gem. Art 6 S. 2 EGBGB eine ausländische Rechtsnorm nicht anzuwenden, wenn sie mit wesentlichen Grundlagen des deutschen Rechts unvereinbar ist; explizit werden im Gesetzestext die Grundrechte angeführt.[56]

6. International zwingendes deutsches Recht

Die sich durch Rechtswahl zwischen den Vertragsparteien oder durch die objektive Anknüpfung ergebende Rechtsordnung wird durch die Regelungen des Art. 34 EGBGB ergänzt. Hierin wird ausgeführt, dass die Regelungen des Art. 27ff. EGBGB nicht die zwingend auf den Sachverhalt anzuwendenden deutschen Rechtsvorschriften berühren dürfen, egal welches Recht auf den Vertrag anzuwenden ist. Hieraus folgt, dass – auch wenn der Dienstvertrag gem. Art. 30 EGBGB ausländischem Recht unterliegt – weiterhin bestimmte Bereiche des deutschen Rechtsystems anwendbar bleiben. Allerdings sollen dem Regelungsbereich des Art. 34 EGBGB nicht die individuell zwischen den Vertragsparteien zu definierenden Aspekte unterliegen, vielmehr sollen solche Bestimmungen als international zwingend angesehen werden, welche über die Individualinteressen der Vertragsparteien hinaus aus Gemeinwohlinteresse unbedingt Geltung verlangen.[57] Zu den zwingend anzuwendenden deutschen Rechtsregeln gehören nach Rechtsprechung des BAG die Vorschriften über die Massenentlassung von Arbeitnehmern, der Kündigungsschutz von Betriebsräten, von Arbeitnehmerinnen die dem MuSchG unterliegen sowie von Schwerbehinderten, da hier die Einschaltung von staatlichen Stellen, Betriebsverfassungsorganen und Gerichten erforderlich ist.[58] Hinsichtlich der zwingenden internationalen Anwendung des AEntG liegen ebenfalls gerichtliche Entscheidungen vor, welche die Anwendung bejahen.[59] Auch das Allgemeine Gleichbehandlungsgesetz dürfte als international zwingend angesehen werden.[60] Dem gegenüber hat das BAG den international zwingenden Charakter des allgemeinen Kündigungsschutzes, der Regelungen beim Übergang des Arbeitsverhältnisses beim Betriebsübergang sowie der Vorschrif-

---

[56] Vgl. Alpmann Brockhaus (2005), S. 984 und Heuser, A. (2004), S. 46.

[57] Vgl. Thüsing, G. (2008), S. 335.

[58] BAG v. 24.08.1989 – 2 AZR 3/89, NZA 1990, S. 841.

[59] LAG Hessen. v. 10.04.2000 – Sa 1858/99, BeckRS 2000 30449441.

[60] Vgl. Thüsing, G. (2007), S. 36.

ten des Seemanngesetzes über Heuer und Urlaubsgeld verneint.[61] Ebenso hat das LAG Hessen den international zwingenden Charakter der Entgeltfortzahlung verneint.[62]

7. Relevanz des Ortsrechts bei der Vertragserfüllung

Als letzen Schritt bei der Suche nach dem anwendbaren Recht ist noch der Art. 32 Abs. 2 EGBGB zu berücksichtigen, welcher ausführt, dass in Bezug auf die Art und Weise der Erfüllung das Recht des Staates, in dem die Erfüllung erfolgt, zu berücksichtigen ist. Dies soll auch für die Erfüllungsmodalitäten im Arbeitsverhältnis gelten. Als Beispiele für diese Berücksichtigung seien die Feiertagsregelung im ausländischen Staat, die gesetzlichen Höchstarbeitszeiten als auch die Unfallverhütungsvorschriften zu nennen. Da die Erbringung der Arbeitsleistung aber stets Erfüllungshandlung ist, können hierunter weitaus mehr Gesetze gefasst werden. Als Beispiel sei hier noch abschließend die Auszahlung des Arbeitsentgeltes genannt, welche unter die Regelung des Art. 32 Abs. EGBGB subsummiert werden kann. Der Arbeitnehmer könnte sich hier durchaus auf die Regelungen des ausländischen Staates berufen, so verbietet z.B. das Arbeitsgesetzbuch von Kambodscha die Entlohnung in Form von Alkohol und schädlichen Drogen, das Arbeitsgesetzbuch der Philippinen verbietet wiederum die Auszahlung des Lohnes im Massagesalon. Die Relevanz des Art. 32 Abs. 2 EGBGB ist allerdings in der Praxis sehr gering, vieles ist hier auch noch nicht durch die Rechtsprechung geklärt.[63]

Zusammenfassend lässt sich somit feststellen, dass es den Vertragsparteien dringend anzuraten ist, eine Rechtswahl zu treffen, wobei natürlich eine Rechtsordnung gewählt werden sollte, welche den Vertragsparteien bekannt ist und deren Wahl nicht den Regelungen des Art. Art. 30 Abs. 1 EGBGB entgegensteht. Im Regelfall ist es aus der Sicht des Expatriate somit zu empfehlen, die deutsche Rechtsordnung zu wählen, da die Ermittlung der relevanten Rechtsvorschriften in der Rechtsordnung des ausländischen Staates oftmals aufgrund der Sprachbarriere sehr zeit- und kostenintensiv sein kann.[64] Auch kann es aufgrund mangelhafter Kenntnis der ausländischen Rechtsordnung bei Vertragsschluss versäumt werden, relevante Vertragsbestandteile zu fixieren, die sich dann zum eigenen Nachteil auswirken.[65]

---

[61] BAG v. 24.08.1989 – 2 AZR 3/89, NZA 1990, S. 841; BAG v. 29.10.1992 – 2 AZR 267/92, NZA 1993, S. 743 und BAG v. 03.05.1995 – 5 AZR 15/94, NZA 1995, S. 1191.

[62] LAG Hessen v. 16.11.1999 – 4 Sa 463/99, NZA-RR 2000, S. 401.

[63] Vgl. Thüsing, G. (2008), S. 339.

[64] Vgl. Pawlik, T. (2000), S. 33.

[65] Vgl. Heuser, A. (2004), S. 47.

V. Fürsorgepflicht des Unternehmens

Die Fürsorgepflicht des Arbeitgebers ist eine Nebenpflicht, welche einen Ausfluss aus § 242 BGB darstellt. Sie dient dem Schutze der Arbeitnehmer, welcher bei einer schuldhaften Verletzung durch den Arbeitgeber einen Schadenersatzanspruch gegen diesen gem. § 280 Abs. 1 BGB hat. Im Rahmen der Fürsorgepflicht ist der Arbeitgeber verpflichtet, die Interessen seiner Arbeitnehmer besonders zu berücksichtigen, beispielsweise durch Vorkehrungen zum Schutze von Gesundheit und Leben der Arbeitnehmer oder zum Schutze des durch diese in den Betrieb mitgebrachten Eigentums, wobei hier der Rahmen des Zumutbaren zu beachten ist. Die Arbeitgeberpflichten werden durch verschiedene Gesetze konkretisiert, vgl. hierzu §§ 618, 619 BGB, § 62 HGB, 120a GewO sowie die weiteren Regelungen des öffentlich-rechtlichen Arbeitsschutzrechtes.[66] Des Weiteren ist der Arbeitgeber verpflichtet, die durch das Beschäftigtenschutzgesetz normierten Regelungen zu beachten und die Arbeitnehmer vor sexuellen Übergriffen, Mobbing am Arbeitsplatz sowie vor ausländerfeindlichen Angriffen zu schützen.[67] Die Fürsorgepflicht setzt grundsätzlichen einen rechtswirksamen Arbeitsvertrag voraus, wobei bereits durch vorvertragliche Kontakte als auch bei der Begründung des Arbeitsverhältnisses entsprechende Nebenpflichten entstehen können. Inhaltlich lassen sich die durch die Fürsorgepflicht entstehenden Nebenpflichten im Wesentlichen in drei Gruppen einteilen:

- Schutzpflichten, zu denen auch Obhuts- und Sorgfaltspflichten zählen,
- Informationspflichten, zu denen auch Erkundigungs-, Aufklärungs-, Mitteilungs- und Auskunftspflichten gehören, und
- Mitwirkungspflichten.[68]

Bei der Entsendung eines Expatriates ins Ausland treffen das Unternehmen in den verschiedenen Stadien der Entsendung weitgehende Fürsorgepflichten, welche eine entsprechende Berücksichtigung und Priorisierung durch das Unternehmen erforderlich machen. Der Umfang der Fürsorgeplicht lässt sich abgesehen von vertraglichen und tarifvertraglichen Regelungen nicht generell festlegen, vielmehr ist hier auf die Gegebenheiten des Einzelfalls abzustellen, wobei insbesondere die Determinanten Art, Umfang, Dauer, Ziel und Lokalisation als relevant anzusehen sind. Des Weiteren kann angenommen werden, dass die Fürsorgepflichten des Unternehmens umso weiter reichen, je umfangreicher es mittels seines Direktionsrechtes auf den Expatriate und den Entsen-

---

[66] Vgl. Alpmann Brockhaus (2005), S. 551.
[67] Vgl. Geiger, H. et al. (2003), S. 302.
[68] Vgl. Heuser, A. (2004), S. 22.

dungsprozess an sich einwirken kann.[69] In der Rechtsprechung wird die Fürsorgepflicht des Unternehmens eher restriktiv gehandhabt, d.h. primär wird der Arbeitnehmer als Verantwortlicher für seine eigenen Angelegenheiten gesehen. So hat das LAG Hessen bezüglich der Krankenversicherung eines Arbeitnehmers während dessen Auslandaufenthaltes entschieden, dass der Arbeitnehmer selbst dafür verantwortlich ist, sich über den Umfang seines Krankenversicherungsschutzes bei seiner Krankenkasse zu informieren. Den Arbeitgeber träfen hier keine Informations- und Beratungspflichten, da das Unternehmen nicht dazu verpflichtet ist, die wirtschaftlichen Interessen des Arbeitnehmers zu übernehmen. Durch den Zwang zur Übernahme etwaiger Informations- und Beratungsaufgaben würde der Arbeitgeber regelmäßig überfordert, insbesondere im Bereich des Sozialversicherungsrechtes.[70] In dieselbe Richtung geht ein Urteil des LAG Köln, in welchem ausgeführt wird, dass es nicht der Fürsorgepflicht des Arbeitgebers unterliegt, den Arbeitnehmer hinsichtlich der freiwilligen Versicherung und einer entsprechenden Versicherungsbefreiung zu informieren. Die Tatsache der Versicherungsbefreiung sei ausschließlich der Sphäre des Arbeitnehmers und somit seinem Verantwortungsbereich zuzuordnen.[71] Die vorgenannten Entscheidungen können jedoch nicht in allen denkbaren Fällen überzeugen. Das LAG Hessen geht ebenfalls davon aus, dass den Arbeitgeber Aufklärungs- und Informationspflichten als nebenvertragliche Verpflichtungen treffen können, insbesondere wenn dieser über eine überlegene Sachkenntnis verfügt. Diese überlegene Sachkunde ist zum einen bei größeren Unternehmen mit den entsprechenden Fachabteilungen als auch bei Unternehmen anzunehmen, welche bereits mehrfach Mitarbeiter in ein bestimmtes Land entsandt haben. Auch ist es als zweifelhaft anzusehen, ob von einem Arbeitnehmer erwartet werden kann, dass dieser die doch komplexen Auswirkungen eines Auslandsaufenthaltes komplett erfassen kann, insbesondere da die Initiative für eine Auslandsentsendung regelmäßig vom Arbeitgeber ausgeht und dieser somit auch zur Fürsorge verpflichtet sein dürfte.[72] Im Falle eines zusätzlichen Versicherungsschutzes hat das BAG hierzu ebenfalls entschieden, dass der Arbeitgeber hier entsprechend in der Verantwortung sein kann, einen zusätzlichen Versicherungsschutz aufzubauen, wenn die Tätigkeit im Ausland mit zusätzlichen erhöhten Gefahren einher geht.[73] Auch sei im Zusammenhang mit dem Versicherungsschutz noch darauf hingewiesen, dass im Falle einer Erkrankung des Expatriate oder dessen Familie, der Arbeitgeber in der Verantwortung steht, diesem die Kosten für die anfallenden Kosten gem. § 17 SGB V zu erstatten. Der Arbeitnehmer hat zwar einen Erstattungsanspruch gegen die

---

[69] Vgl. Heuser, A. (2004), S. 23.

[70] LAG Hessen v. 04.09.1995 – 16 SA 215/95, NZA 1996, S. 482.

[71] LAG Köln v. 19.01.1996 – 11 (13/11) Sa 685/95, NZA-RR 1996, S. 447.

[72] Vgl. Heuser, A. (2004), S. 22f.

[73] BAG v. 05.05.1983 – AZR 108/81, NZA 1983, S. 1258.

Krankenkasse des Arbeitnehmers, jedoch wird diese nur den in Deutschland geltenden Erstattungsbetrag begleichen.[74]

In Vorbereitung auf den Auslandseinsatz ist der Arbeitgeber im Rahmen der Fürsorgepflicht dazu angehalten, zusammen mit dem Mitarbeiter die für die Auslandsentsendung relevanten Aspekte in einem Personalgespräch zu erörtern und entsprechende Maßnahmen einzuleiten.[75] Hierzu können insbesondere die Aufklärung und Unterrichtung über die bereits oben diskutierten sozial- und steuerrechtlichen Aspekte gehören, auch die mit dem Auslandseinsatz verbundenen Möglichkeiten, Gefahren und Entwicklungen sollten Berücksichtigung finden. So kann es durchaus zu den Fürsorgepflichten des Arbeitgebers gehören, den Arbeitnehmer vor dessen Entsendung einem Eignungstest zu unterziehen, wobei hier durchaus Aspekte der gesundheitlichen Eignung des z.B. bei Einsätzen in den Tropen eine Rolle spielen können. Ebenso sind nach der Rückkehr des Arbeitnehmers entsprechende Rückkehruntersuchungen durchzuführen, sobald die Dauer der Entsendung ein Jahr übersteigt, wobei bei Verstößen gegen die Untersuchungspflichten dem Arbeitgeber Geldstrafen bis zu 10.000 € aus § 209 SGB VII drohen.[76] Zu den Fürsorgepflichten des Arbeitgebers dürfte es ebenso gehören, dem Arbeitnehmer Hilfestellung bei allgemeinen Themen der Auslandsentsendung zu geben, als Beispiele seien hier die Organisation des Umzuges, die Anmietung von Wohnraum im Entsendungsland als auch die Eingliederung der Familie in die neue gesellschaftliche Umgebung (Schulen, Sprachkurse, Clubmitgliedschaften usw.) zu nennen.[77] Vielfach wenden sich Unternehmen im Vorfeld einer Entsendung an spezielle Dienstleister, um den Expatriate als auch dessen Familie entsprechende auf den Auslandseinsatz vorzubereiten, wobei hier kulturelle, soziale als auch rechtliche Aspekte im Mittelpunkt stehen sollten. Kommt es aufgrund des Fehlverhalten des Mitarbeiters während des Auslandsaufenthaltes zu Maßnahmen des ausländischen Staates, z.B. zu Freiheitsentziehung, so kann der Arbeitgeber verpflichtet sein, dem Arbeitnehmer Aufwendungen zu Erstattung, sofern es sich bei der Maßnahme des ausländischen Staates um aus Sicht der deutschen Rechtsprechung unzumutbaren Maßnahmen handelt und er deshalb andere Vermögensschäden erleidet.[78] Während des Auslandseinsatzes des Arbeitnehmers gehört es vor allem zu den Fürsorgepflichten des Arbeitgebers, für den Abschluss entsprechender Versicherungen zu sorgen, soweit dieser aus mangelnder Sachkunde hierfür selbst nicht in der Lage ist. Hierbei dürfte es sich hauptsächlich um Versicherungsleistungen handeln, welche für den Expatriate unter lokalen Arbeitsbedingungen nicht zustande kämen, z.B. Auslandskrankenversicherungen, freiwillige Weiterversicherung in der

---

[74] Vgl. Hofmann, K. / Nowak, H. / Rohrbach, T. (2002), S. 35.

[75] Vgl. Mütze, K. / Popp, M. (2007), S. 53.

[76] Vgl. Laber, J. / Werxhausen, V. / Antoni-May, G. (2003), S. 15.

[77] Vgl. Heuser, A. (2004), S. 23.

[78] BAG v. 11.08.1988 – 8 AZR 721/85, NJW 1989, S. 316.

deutschen Rentenversicherung. Die Familienangehörigen des Expatriate hierbei unbedingt berücksichtigt werden, da das Familienwohl erheblich zum Gelingen der Entsendung beiträgt.[79] Nach Rückkehr des Expatriate ins Inland muss der Arbeitgeber diesen vor allem in den Bereichen des Umzuges sowie bei der beruflichen und gesellschaftlichen Wiedereingliederung unterstützen (Repatriation).[80] Die Fürsorgepflicht des Unternehmens während des Auslandseinsatzes eines Arbeitnehmers stellt einen nicht zu unterschätzenden Aspekt dar, welchem unbedingt die notwendige Aufmerksamkeit gewidmet werden sollte, d.h. die Berücksichtigung der Pflichten seitens des Unternehmens sollten klar an einen Mitarbeiter delegiert werden, wobei dieser regelmäßig aus dem Personalmanagement stammen dürfte. Die Ausarbeitung einer Entsendungsrichtlinie sowie die Erstellung von Entsendungschecklisten sollte bei allen Unternehmen, welche regelmäßig Arbeitnehmer ins Ausland entsenden, zum Standard gehören. Abschließend sei aber hinsichtlich der Fürsorgepflicht des Arbeitgebers und der ggf. durch den Arbeitgeber durchgeführten Beratungen darauf hingewiesen, dass sich hieraus unkalkulierbare haftungsrechtliche Konsequenzen ergeben können, wenn sich die Auskünfte als falsch herausstellen sollten. Aus diesem Grunde sollten die – soweit der Arbeitgeber zu den Auskünften nicht selbst verpflichtet ist – Beratungen grundsätzlich durch externe Dienstleister durchgeführt werden. In diesem Zusammenhang sollte der Arbeitgeber den Arbeitnehmer noch darauf hinweisen, dass die Beratung nicht in seinem Namen erfolgt, da ohne diesen Hinweis wiederum der externe Berater als Erfüllungsgehilfe des Arbeitgebers gem. § 278 BGB angesehen werden könnte. In diesem Falle hätte der Arbeitgeber für die Auskünfte des Beraters so zu haften, als hätte er sie selbst erteilt.[81]

VI. Direktionsrecht des Unternehmens

Das Direktionsrecht stellt das Recht des Arbeitgebers dar, die Arbeitsrechtlichen Pflichten des Arbeitnehmers zu konkretisieren. Innerhalb der Grenzen der arbeitsvertraglichen Vereinbarungen kann der Arbeitgeber frei bestimmen, wie der Arbeitnehmer seine Vertragspflichten nach Zeit, Ort und Art der Leistung erfüllen soll, vgl. § 106 S. 1 GewO.[82] Der Begriff des Direktionsrechts wird auch oftmals mit dem Begriff des Weisungsrechts gleichgesetzt. Die möglichen Inhalte einer Weisung sind so vielfältig wie das Arbeitsleben selbst. So kann sich eine Weisung nicht nur unmittelbar auf die Durchführung der Arbeit beziehen, vielmehr können auch die umgebenden Bereiche wie das Tragen von Schutzkleidung, ein Rauchverbot, die Arbeitszeit oder der Ort der Arbeitsverrichtung (besonders im Rahmen einer (Auslands-) Entsendung / Versetzung relevant) in das Di-

---

[79] Vgl. Mütze, K. / Popp, M. (2007), S. 56.

[80] Vgl. Heuser, A. (2004), S. 23.

[81] Vgl. Hofmann, K. / Nowak, H. / Rohrbach, T. (2002), S. 36.

[82] BAG v. 16.09.1998 – 5 AZR 183/97, NZA 1999, S. 384.

rektionsrecht des Arbeitgebers fallen.[83] Das Direktionsrecht folgt aus den Regelungen des Arbeitsvertrages, es stellt ein einseitiges Leistungsbestimmungsrecht im Sinne des §§ 315ff BGB dar, wobei es sich um eine einseitige, empfangsbedürftige Willenserklärung handelt, für welche die allgemeinen Regeln der Rechtsgeschäftslehre gelten. Seine Grenzen findet das Direktionsrecht in den durch den Arbeitsvertrag gezogenen Grenzen, aber auch durch die für das Arbeitsverhältnis relevanten Gesetze, Tarifverträge oder Betriebsvereinbarungen – ausführlich hierzu siehe unten. Auch innerhalb der hierdurch vorgegeben Grenzen darf der Arbeitgeber von seinem Direktionsrecht nur nach billigem Ermessen (§ 315 Abs. 1 BGB) Gebrauch machen, d.h. bei seinen Weisungen muss der Arbeitgeber die Interessen des Arbeitnehmers ausreichend berücksichtigen.[84] Ob der Arbeitgeber im Einzelfall nach billigem Ermessen Anweisungen erteilt hat, kann gem. § 315 Abs. 3 BGB auch gerichtlich überprüft werden. Alle Weisungen, die nicht durch die arbeitsvertraglichen Regelungen abgedeckt sind, sind unzulässig – der Arbeitnehmer braucht ihnen nicht Folge zu leisten. In diesem Fall liegt auch keine Arbeitsverweigerung vor, welche als Anlass für eine Kündigung verwendet werden könnte. Rechtsgrundlage ist hierfür das Maßregelungsverbot gem. § 612a BGB, welches Sanktionen seitens des Arbeitgebers untersagt, solange der Arbeitnehmer seine Rechte in zulässiger Weise ausübt. Betrifft die Weisung des Arbeitgebers eine mitbestimmungspflichtige Tatsache, so muss grundsätzlich der Betriebsrat beteiligt werden – im Falle der Auslandsentsendung ist hier z.B. § 99 Abs. 1 S.1 BetrVG als einschlägig zu betrachten. Erteilt der Arbeitgeber Weisungen an den Arbeitnehmer, ohne den Betriebsrat entsprechend der gesetzlichen Regelungen einzubeziehen, so sind diese Weisungen aufgrund der Theorie der Wirksamkeitsvoraussetzungen als unwirksam anzusehen.[85]

Grundsätzlich ergibt sich der Ort der Arbeitsleistung aus den nach Treu und Glauben auszulegenden Regelungen des Arbeitsvertrages, seinen Umständen oder seiner Natur, § 269 Abs. 1 BGB. In der Regel ist als der Ort der Leistungserbringung der Betrieb des Unternehmens anzusehen, in den anderen Fällen kann der Arbeitgeber den Ort der Leistungserbringung bestimmen. Die Entsendung eines Mitarbeiters ins Ausland stellt einen erheblichen Eingriff in den Kernbereich der arbeitsvertraglichen Regelungen zwischen Arbeitgeber und Arbeitnehmer dar, welche im Rahmen des Direktionsrechtes durch den Arbeitgeber grundsätzlich nicht vorgenommen werden darf.[86] Für die Entsendung ist eine einvernehmliche Anpassung des Arbeitsvertrages durch beide Vertragsparteien erforderlich. Somit kommt eine Auslandsentsendung nur in Betracht, wenn die Möglichkeit hierzu vertraglich vereinbart wurde, in der Regel geschieht dies durch die Fixierung in einer Versetzungsklausel, in welcher sich das Unternehmen das Recht vorbehält, den Arbeitneh-

---

[83] Vgl. Geiger, H. et al. (2003), S. 221.

[84] Vgl. ebd.

[85] Vgl. Alpmann Brockhaus (2005), S. 346f.

[86] Vgl. Laber, J. / Werxhausen, V. / Antoni-May, G. (2003), S. 6.

mer an einem anderen Ort einzusetzen.[87] Es ist dennoch für den Arbeitgeber empfehlenswert, eine entsprechende Direktionsklausel bereits bei Einstellung des Mitarbeiters im Arbeitsvertrag zu fixieren, um bei kürzeren Dienstreisen oder Entsendungen entsprechend die Direktionsrechte ausüben zu können. Auch führt eine entsprechende Klausel zur erhöhten Transparaenz für den Mitarbeiter, der sich hierdurch bereits auf eine mögliche Entsendung einstellen kann. Es sei allerdings auch darauf hingewiesen, dass seit dem 01.01.2002 aufgrund der geänderten Gesetzeslage das Gesetz über Allgemeine Geschäftsbedingungen ebenfalls für Arbeitsverhältnisse Anwendung findet und somit Anlass für Auseinandersetzungen bieten kann.[88] Im Rahmen einer Auslandsentsendung kommt dem Aspekt des Rückrufrechtes als Ausprägung des Direktionsrechtes ebenfalls eine erhebliche Bedeutung zu. Ähnlich wie das versetzungsrecht des Arbeitgebers für die Aufnahme einer Tätigkeit im Ausland stellt auch das Rückrufrecht ein Direktionsrecht dar. Da der Rückruf aus dem Ausland für den Arbeitnehmer und seine Familie in der Regel einen erheblichen Eingriff in dessen Lebensführung darstellt, muss der Arbeitgeber die bereits zuvor diskutierte Billigkeitskontrolle gem. § 315 Abs. 1 BGB berücksichtigen. Aus diesem Grunde ist es dem Arbeitgeber zu empfehlen, in der Entsendevereinbarung ein entsprechendes Rückrufrecht zu vereinbaren als auch dieses mit einer mehrmonatigen Ankündigungsfrist zu versehen, da dem Arbeitnehmer und seiner Familie ermöglicht werden muss, sich auf die Rückkehr ins Inland einzustellen.[89] Eine generelle Vereinbarung, den Expatriate nach freiem Belieben oder auch nur freiem Ermessen zu Gunsten des Arbeitgeber zurückzurufen, verstößt gegen § 138 BGB i.V.m. Art. I, 2 GG, weil sie die Handlungsfreiheiten des Arbeitnehmers in unzulässigem Übermaß beschränken würde.[90] Die Regelungen des § 99 Abs. 1 S. 1 BetrVG sind auch im Falle einer Rückversetzung einschlägig und müssen entsprechende Beachtung durch den Arbeitgeber finden.

VII. Kündigung während der Auslandsentsendung

Im Idealfall wird die Entsendung des Arbeitnehmers durch den Abschluss des vereinbarten Projektes oder mit dem Ablauf der Entsendungszeit beendet. Leider ist dies nicht der Regelfall, vielmehr kann davon ausgegangen werden, dass 25 – 40% der Auslandseinsätze – im Extremfall in manchen Ländern sogar 80% – scheitern.[91] Die Kündigung des Arbeitsverhältnisses stellt für den Arbeitnehmer an sich und für den ins Ausland entsandten Expatriate im Speziellen einen massiven Einschnitt in dessen Lebensplanung sowohl in finanzieller als auch psychologischer Weise dar. Um dem inländischen Arbeitnehmer in dieser Situation ein Mindestmaß an Schutz zu gewäh-

---

[87] LAG Hamm v. 22.03.1974 – DB 1974, S. 877, zitiert nach Heuser, A. (2004), S. 24.

[88] Vgl. Laber, J. / Werxhausen, V. / Antoni-May, G. (2003), S. 5.

[89] Vgl. Hofmann, K. / Nowak, H. / Rohrbach, T. (2002), S. 57.

[90] Vgl. Heuser, A. (2004), S. 25.

[91] Vgl. Blom, H. / Meier, H. (2004), S. 177 und Fischlmayr, I. (2004), S. 86.

ren, finden die Regelungen des KSchG sowie der §§ 620ff. BGB bei der Kündigung einer Arbeits-verhältnisses Anwendung. Im Falle einer Auslandsentsendung sind jedoch einige Besonderheiten zu berücksichtigen, welche nachfolgend erörtert werden sollen. Die Behandlung von Sonderkün-digungsschutzrechten im Sinne des § 9 Abs. 1 MuSchG, des § 85 SGB IX sowie die kündigungs-schutzrechtliche Betrachtung von Tarifverträgen wurde bewusst außer vor gelassen, da es sich hierbei um seltene Ausnahmefälle handeln dürfte.

1. Geltungsbereich des KSchG

Grundsätzlich stellt sich bei ins Ausland entsandten Mitarbeitern die Frage nach der Anwendbar-keit des KSchG, da nach einem Urteil des BAG das KSchG in seiner Gesamtheit nur für inländi-sche Betriebe gilt, die sich innerhalb der Grenzen der Bundesrepublik Deutschland befinden.[92] Al-lerdings besteht die grundsätzliche Möglichkeit, dass die Vertragsparteien die Geltung des deut-schen KSchG entsprechend in der Entsendevereinbarung fixieren, wobei es sich hierbei um eine ausdrückliche Vereinbarung im Sinne der freien Rechtswahl handelt. Zusätzlich ergibt sich die Anwendbarkeit des KSchG aus Art. 32 Abs. 1 Nr. 4 EGBGB, wonach das auf einen Vertrag an-zuwendende Recht insbesondere für das Erlöschen der vertraglichen Verpflichtungen maßge-bend ist; die entsprechenden Regelungen für das anzuwendende Recht ergeben sich gem. Art. 27 – 30, 33 Abs.1 und 2 EGBGB. Nach Rechtsprechung des BAG gehört hierzu auch das sich aus §§ 1- 14 KSchG ergebende allgemeine Kündigungsschutzrecht.[93] Im Falle eines Angestellten der italienischen Kulturinstitute in Deutschland hat das BAG aufgrund der Klausel „dass für alle anderen in diesem Vertrag nicht ausdrücklich erwähnten Fälle das in Deutschland geregelte Ge-setz maßgebend sein soll" entscheiden, dass das deutsche KSchG entsprechende Anwendung zu finden hat.[94] Es ist allerdings problematisch, wie es sich hinsichtlich der Regelungen des § 23 Abs. 1 KSchG verhält, welcher Regelungen zum Geltungsbereich des KSchG hinsichtlich der Be-triebsgröße enthält. In § 23 Abs. 1 KSchG wird normiert, dass die Vorschriften des Ersten und Zweiten Abschnittes für Betriebe und Verwaltungen des privaten und öffentlichen Rechtes vorbe-haltlich der Reglungen des § 24 KSchG gelten. Allerdings schränkt § 23 Abs. 1 S. 2 KSchG dahin gehend ein, dass die Regelungen des KSchG mit Ausnahme der §§ 4 – 7, 13 Abs. 1 S.1 und S. 2 KSchG nicht für Betriebe und Verwaltungen gelten, in denen in der Regel fünf oder weniger Ar-beitnehmer beschäftigt werden. Es ist nun zu prüfen, inwieweit verschiedene Unternehmen im Sinne des Gesetzes zu einem Betrieb zusammengefasst werden können, um den Voraussetzun-gen des § 23 KSchG zu entsprechen, man spricht hier vom sogenannten „Berechnungs-

---

[92] BAG v. 21.01.1999 – AZR 648/97, NJW 1999, S. 3143.
[93] BAG SAE 1990, S. 317.
[94] BAG v. 23.04.1998 – 2 AZR 489/97, NZA 1998, 995.

durchgriff".[95] Sowohl der BAG als auch die LAG hatte in der Vergangenheit hierzu in verschiedenen Prozessen zu entscheiden. Grundsätzlich kam das BAG zum Schluss, dass die Voraussetzungen des § 23 Abs. 1 S. 2 KSchG im Inland erfüllt sein müssen. Hierbei ist es zulässig, dass mehrere Unternehmen zu einem gemeinsamen Betrieb zusammengefasst werden mit der Folge, dass die beschäftigen Arbeitnehmer je Unternehmen bei der zur Ermittlung der maßgeblichen Personenzahl zusammenzurechnen sind. In seiner Entscheidung v. 07.11.1996 hatte es das BAG noch offen gelassen, inwieweit bei der Berechnung der Betriebsgröße ausländische Betriebsteile zu berücksichtigen sind und somit ein am Schutzzweck des KSchG ausgerichteter, eigenständiger Betriebsbegriff zu definieren ist.[96] Der zuständige 2. Senat des BAG hatte bei dieser am KSchG ausgerichteten Definition des Betriebsbegriffes zwar Bedenken hinsichtlich der Auswirkungen einer ggf. notwendigen Sozialauswahl zwischen inländischen und ausländischen Arbeitnehmern, konnte diese Frage ab letztendlich offen lassen, der er diese Frage im entsprechenden Prozess nicht zu entscheiden hatte. Nachdem der 2. Senat des BAG aber in einer weiteren Entscheidung in keinster Weise mehr auf den im zuvor genannten Urteil angedachten Betriebsbegriff eingegangen ist, kann man davon ausgehen, dass dieser Ansatz endgültig fallen gelassen wurde.[97] Wie bereits zuvor ausgeführt, ist der räumliche Geltungsbereich des KSchG auf das Staatsgebiet des Bundesrepublik Deutschland beschränkt, dies wurde auch durch den EuGH entsprechend bestätigt, welcher das KSchG als Sonderregelung der Bundesrepublik Deutschland einstuft.[98] In einer weiteren Entscheidung[99] hatte das BAG zu beurteilen, inwieweit das KSchG auf eine Konzernholding Anwendung findet, welche nicht mehr als fünf Expatriates beschäftigt. Die Holding an sich beschäftigte fünf Arbeitnehmer inklusive des Klägers, bei den Tochtergesellschaften in Frankreich und Deutschland waren jedoch mehr als 300 Arbeitnehmer angestellt. Das BAG verneinte in diesem Zusammenhang die Anwendbarkeit des § 23 KSchG, da zwischen der Holding und den Tochterunternehmen kein Gemeinschaftsbetrieb bestand und somit die Holding aufgrund der beschäftigten Arbeitnehmer nicht dem Kündigungsschutzgesetz unterlag. Wann ein solcher Gemeinschaftsbetrieb vorliegt, hatte das BAG bereits in einem vorhergehenden Prozess zu definieren.[100] Das BAG geht davon aus, dass ein Gemeinschaftsbetrieb aus mehreren Unternehmen nur vorliegt, wenn ein einheitlicher, rechtlich gesicherter betriebsbezogener Leitungsapparat vorliegt, wobei insbesondere die Unternehmensfunktionen hinsichtlich der sozialen und personellen Angelegenheiten des BetrVG einheitlich ausgestaltet sein müssen. Eine reine konzern-

---

[95] Vgl. Heuser, A. (2004), S. 174.

[96] BAG v. 07.11.1996 – 2 AZR 648/95, BeckRS 2008 52586.

[97] BAG v. 09.10.1997 – 2 AZR 64/67, NZA 1998, S. 141.

[98] EuGH v. 30.11.1993 – C 189/91, BeckRS 2004 74804.

[99] BAG v. 13.06.2002 – 2 AZR 327/01, NJW 2002, S. 3349.

[100] BAG v. 29.04.1999 – 2 AZR 352/98; NJW 1999, S. 3212.

rechtliche Leitungsmacht der Holding in bestimmten Bereichen – das BAG spricht hier beispielhaft die Erledigung von Schreibarbeiten durch die Tochtergesellschaften für die Holding an – gegenüber den Tochtergesellschaften reicht nicht aus, um hieraus einen Berechnungsdurchgriff abzuleiten. In seiner bereits eingangs erwähnten Entscheidung[101] hatte das BAG hinsichtlich der Anwendung des KSchG mehrere interessante Fragen zu klären, wobei hier die sogenannte Stammhausanbindung des entsandten Arbeitnehmers den Hauptaspekt bildete. Verpflichtet sich ein Arbeitnehmer in einem dem deutschen Recht unterliegenden Vertrag, seine Arbeitsleistung im Rahmen eines ergänzenden Dienstvertrages mit einem ausländischen, konzernzugehörigen Unternehmen zu erbringen, und behält sich der Arbeitgeber vor, dem Arbeitnehmer selbst Weisungen und dienstliche Anordnungen zu erteilen und jederzeit ein neues zum Konzern gehörendes Unternehmen für den weiteren Auslandseinsatz des Arbeitnehmers zu bestimmen, so hat der bei der Kündigung dieses Vertrages das deutsches Kündigungsschutzrecht zu beachten. Eine Eingliederung des Arbeitnehmers in den Betrieb des deutschen Stammhauses hält das BAG nicht für erforderlich. In einem aktuellen Urteil führt das LAG Hessen zu §§ 1, 23 KSchG i.V.m. Art. 30 EGBGB im Falle einer auf einer ausländischen „Arbeitsordnung" – die im ausländischen Staat als Rechtsordnung anzusehen ist – beruhenden Änderungskündigung folgendes aus: „Ist auf ein Arbeitsverhältnis deutsches Recht anzuwenden gilt eine „Arbeitsordnung" des Arbeitgebers mit Sitz im Ausland nur dann für das Arbeitsverhältnis, wenn dies vereinbart ist, nicht aber aufgrund ihres Rechtscharakters als Tarifvertrag oder Betriebsvereinbarung. Dies wäre nur nach dem ausländischen Recht zu beurteilen."[102]

Somit kann zusammenfassend festgestellt werden, dass bei einer Entsendung eines Arbeitnehmers ins Ausland mit einem Zwei- oder Mehrvertragsmodell – welche den Großteil der vertraglichen Vereinbarungen in der Praxis ausmachen – die Anwendbarkeit des KSchG grundsätzlich bejaht werden kann, da die Eingliederung des Expatriate in den deutschen Betrieb weiterhin vorhanden ist. Dies ergibt sich auch aus den entsprechenden sozialversicherungsrechtlichen Vorschriften hinsichtlich der Ausstrahlung gem. § 4 Abs. 1 SGB IV, welche ein Direktionsrecht seitens des deutschen Stammhauses sowie eine weiterhin bestehende Eingliederung in dieses verlangen. Im Falle eines Einvertragsmodell oder bei einem Übertritt in die ausländische Gesellschaft finden grundsätzlich die Rechtsvorschriften des ausländischen Staates Anwendung, es sei denn, das KSchG wird ausdrücklich einzelvertraglich als gültiges Recht gewählt.

---

[101] BAG v. 21.01.1999 – AZR 648/97, NJW 1999, S. 3143.
[102] LAG Hessen v. 28.05.2008 – 8 Sa 2179/06, BeckRS 2008 55973.

2. Umfang der Kündigungserklärung

Aufgrund der verschiedenen möglichen Vertragsmodelle bei der Auslandsentsendung ist auch bei der Kündigungserklärung darauf zu achten, dass diese die gewollte Wirkung erzielt. So ist es oft nicht eindeutig, ob eine Kündigung auf die Aufhebung eines oder mehrerer Vertragsverhältnisse abzielt. In diesem Falle ist durch Auslegung unter Berücksichtigung des Wortlautes und der Verkehrssitte zu ermitteln, welchen Umfang die Kündigungserklärung hat. Aufgrund der hiermit verbundenen Unsicherheiten, welche regelmäßig zu Rechtsstreitigkeiten führen, sollte diese Gefahr durch die eindeutige Formulierung – sowohl bei Kündigungen seitens des Arbeitgebers als auch des Arbeitnehmers – der Kündigungserklärung umgangen werden.[103] Im Falle eines Einvertragsmodells bedarf es nur einer Kündigungserklärung, um den entsprechenden Vertrag zu beenden, da keine weiteren vertraglichen Vereinbarungen zwischen Arbeitgeber und Arbeitnehmer existieren. Erheblich größere Probleme können beim Bestehen eines Zwei- oder Mehrvertragsmodells auftreten, da es hier unter Umständen zu Schwierigkeiten hinsichtlich der Interpretation des Umfang der Kündigungserklärung kommen kann. So kann es möglicherweise aus dem Inhalt der Kündigungserklärung nicht ersichtlich sein, ob das gesamte Vertragsverhältnis oder nur einer der Einzelverträge beendet werden soll. In diesem Falle der nicht eindeutigen Zuordenbarkeit leben die Rechte und Pflichten des ursprünglichen Vertrages wieder auf, welche dann sowohl durch Arbeitgeber und Arbeitnehmer wieder zu erfüllen sind. Es ist somit von erheblicher Relevanz, dass der Kündigende eindeutig durch präzise Formulierung herausstellt, welcher Vertrag von der Kündigungserklärung betroffen sein soll – ist dies nicht zweifelsfrei zu erkennen, wird nur ein Vertrag beendet und der zweite wird automatisch wieder aktiv![104] Aufgrund der Relevanz dieser Thematik sollten Arbeitgeber und Arbeitnehmer bereits im Vorfeld der Entsendung Gespräche hierzu führen, um etwaigen rechtlichen Konsequenzen aus dem Wege zu gehen.

3. Zugang der Kündigungserklärung

Der Zugang der Kündigungserklärung stellt einen großen Komplex innerhalb der Rechtssprechung dar, dessen umfangreiche Darstellung den Rahmen dieser Arbeit bei Weitem sprengen würde. Aus diesem Grund sind nachfolgend nur die Grundzüge dieser Thematik dargestellt.

Grundsätzlich bedarf gem. § 623 BGB die Beendigung von Arbeitsverhältnissen sowohl im Falle der Kündigung als auch per Auflösungsvertrag zur Wirksamkeit der Schriftform, wobei die elektronische Form explizit ausgeschlossen ist. Die Kündigungserklärung entfaltet ihre Rechtswirkung erst dann, wenn sie dem Adressaten auch tatsächlich zugeht. Es ist hierbei unerheblich, ob der Empfänger die Kündigungserklärung annimmt. Für den Zugang unter Anwesenden gilt, dass die-

---

[103] Vgl. Laber, J. / Werxhausen, V. / Antoni-May, G. (2003), S. 31.
[104] Vgl. Mütze, K. / Popp, M. (2007), S. 77f. und Heuser, A. (2004), S. 26f.

se zugeht, sobald sie der Empfänger vernimmt. Es ist beim Zugang unter Anwesenden nicht darauf abzustellen, ob der Empfänger die Verfügungsgewalt über die Kündigung dauerhaft erhält. Vielmehr genügt es, dass der Empfänger das Schriftstück ausgehändigt bekommt und somit in der Lage ist, vom Inhalt Kenntnis zu nehmen. Mit der Übergabe der Kündigungserklärung ist dem Interesse an rechtzeitiger Information, auf der das Zugangserfordernis beruht, ausreichend genügt. Für den Zugang des Schriftstückes unter Anwesenden ist es somit ausreichend, dass es dem Adressaten nur zum Durchlesen überlassen wird, vorausgesetzt er erhält hierfür genügend Zeit. Ob der Empfänger das Kündigungsschreiben wirklich gelesen hat, ist hierbei unerheblich, sogar im Falle des Nichtverstehens der deutschen Sprache ist dies für den Zugang der Kündigungserklärung nicht relevant – dem Schutz der ausländischen Mitbürger ist aufgrund der möglichen Zulassung einer verspäteten Klage gem. § 5 KSchG Genüge getan.[105] Es wird ausschließlich darauf abgestellt, dass die Erklärung in den Bereich des Empfängers gelangt ist und dieser die Möglichkeit hatte, vor ihr Kenntnis zu nehmen.[106] Da der Nachweis des Zugangs unter Anwesenden regelmäßig zu Schwierigkeiten führt, ist unbedingt darauf zu achten, dass die Übergabe entweder vor Zeugen vollzogen wird oder der Adressat den Empfang entsprechend durch Unterschrift quittiert.

Im Falle des Zugangs unter Abwesenden ist maßgeblich, dass die Erklärung derart in den Machtbereich des Empfängers kommt, dass dieser unter normalen Umständen von ihr Kenntnis erlangen konnte.[107] Die entsprechende gesetzliche Grundlage ist hierbei in § 130 BGB zu finden. Erheblich ist hierbei alleinig der Zeitpunkt, in welchem der Empfänger von der Kündigungserklärung Kenntnis nehmen konnte, der Zeitpunkt der tatsächlichen Kenntnisnahme ist unerheblich.[108] Da es sich beim Zugang unter Abwesenden im Falle einer Auslandsentsendung um den Normalfall handeln dürfte, ist hierbei besondere Aufmerksamkeit geboten. Grundsätzlich geht die Kündigungserklärung zu, wenn sie in den Machtbereich des Empfängers gelangt, im Falle der Postzustellung ist dies der Einwurf in den Briefkasten, wenn und sobald mit der Leerung dieses zu rechnen ist.[109] Im Falle eines Postfaches geht die Kündigungserklärung zu, sobald diese durch die Post zur Abholung bereitgehalten wird oder sobald mit der Abholung typischerweise gerechnet werden muss. Der Empfänger kann sich nicht auf den fehlenden oder verspäteten Zugang der Kündigungserklärung berufen, wenn er die Zugangsverzögerung selbst zu vertreten hat, dies ist

---

[105] LAG Hamm v. 04.01.1979 – 8 Ta 105/78, NJW 1979, S. 2488.

[106] BAG v. 04.11.2004 – 2 AZR 17/04, NJW 2005, S. 1533.

[107] BAG v. 16.03.1988 – 7 AZR 587/87, NZA 1988, S. 875.

[108] Vgl. Laber, J. / Werxhausen, V. / Antoni-May, G. (2003), S. 32f.

[109] LAG Nürnberg v. 05.01.2004 – 9 Ta 162/03, NZA-RR 2004, S. 631; vgl. auch BAG v. 08.12.1983 – 2 AZR 337/82, NJW 1984, S. 1651.

z.B. der Fall, wenn er den Arbeitgeber falsche Angaben über die Wohnanschrift macht.[110] Im Falle einer Auslandsentsendung kommt es häufig vor, dass der Expatriate seinen Wohnsitz ins Ausland verlagert. In diesem Falle ist es entscheidend, an welcher Stelle der Arbeitnehmer üblicherweise seine Post entgegennimmt, da es auch denkbar ist, dass der inländische Wohnort komplett aufgegeben wird. Zur Vermeidung von Missverständnissen sollten Arbeitgeber und Arbeitnehmer eine Postadresse vereinbaren, die vom Arbeitnehmer regelmäßig verwendet wird.[111]

4. Kündigungsfrist

Mit dem zuvor erläuterten Zugang der Kündigung beginnt die Kündigungsfrist. Die Kündigungsfrist kann sich sowohl aus dem Gesetz gem. §§ 621f. BGB ergeben als auch einzelvertraglich vereinbart werden, wobei hierbei insbesondere § 622 Abs. 5 und 6 BGB zu beachten sind. Da es sich bei dem Expatriate im Regelfall um einen hochqualifizierten Mitarbeiter handelt, welcher oftmals in den ausländischen Gesellschaften exponierte Führungsfunktionen übernimmt oder technisches Spezialistenwissen besitzt, vereinbart der Arbeitgeber in der Regel verlängerte Kündigungsfristen mit diesem. Diese Abweichung von der gesetzlichen Kündigungsfrist dient aber auch dem Schutz des Arbeitnehmers, welcher hierdurch im Falle einer Beendigung des Arbeitsverhältnisses genügend zeitlichen Spielraum erhält, sich eine neue Tätigkeitsstätte zu suchen. Die einzelvertraglich zwischen Arbeitgeber und Arbeitnehmer im Falle einer Auslandsentsendung vereinbarte Kündigungsfrist dürfte sich in der Mehrheit der Fälle zwischen drei und sechs Monaten bewegen, in Einzelfällen sind aber auch Kündigungsfristen bis zu zwölf Monaten als realistisch anzusehen.[112]

5. Häufige Kündigungsgründe bei einer Auslandsentsendung

Wie bereits zuvor erwähnt, bringt eine Auslandsentsendung sowohl für den Arbeitgeber als auch den Arbeitnehmer gewisse Unsicherheiten mit sich, welche in der Praxis oftmals zu einem vorzeitigen Abbruch der Auslandsentsendung oder gar zur Kündigung führen können. Nachfolgend werden die in diesem Zusammenhang auftretenden möglichen Kündigungsgründe seitens des Arbeitgebers kurz dargelegt, wobei auf eine umfangreiche Darstellung der einzelnen Sachverhalte bewusst verzichtet wird – es sei hierzu auf die umfangreiche Literatur und Rechtsprechung verwiesen.

Systematisch lässt sich eine Kündigung sowohl in die Aspekte ordentlich / außerordentlich als auch hinsichtlich des Auslösers für die Kündigung – personen-, verhaltens- und betriebsbedingte Ursachen – unterteilen. Während im Falle einer außerordentlichen Kündigung der Grund hierfür

---

[110] BAG v. 22.09.2005 – 2 AZR 366/04, NZA 2006, S. 204.

[111] Vgl. Heuser, A. (2004), S. 28.

[112] Vgl. Mütze, K. / Popp, M. (2007), S. 78 und Heuser, A. (2004), S. 28.

auf Verlangen der anderen Vertragspartei gem. § 626 Abs. 2 S. 3 BGB unverzüglich schriftlich mitgeteilt werden muss, ist dies im Falle einer ordentlichen Kündigung differenzierter zu betrachten. Bei einer ordentlichen Kündigung seitens des Arbeitgebers besteht grundsätzlich kein Anspruch des Arbeitnehmers darauf, dass ihm der Kündigungsgrund mitgeteilt wird.[113] Eine Begründungsplicht für den Arbeitgeber kann sich jedoch aus einem Tarifvertrag, einer Betriebsvereinbarung oder aus dem Arbeitsvertrag selbst ergeben.[114]

a) Personenbedingte Kündigungsgründe[115]

Personenbedingt Gründe für eine Kündigung seitens des Arbeitgebers liegen vor, wenn der Arbeitnehmer nicht mehr in der Lage ist, die geschuldete Arbeitsleistung zu erbringen, wobei es nicht auf ein Verschulden des Arbeitnehmers ankommt:

- Mangelnde persönliche Eignung aufgrund fehlenden interkulturellen Verständnisses und autoritärer Führungsstil. Dies kann soweit gehen, dass die Mitarbeiter in der ausländischen Niederlassung die Arbeit verweigern und nur durch die Entlassung / Rückversetzung des Expatriate befriedet werden können[116]
- Fehlende Arbeitserlaubnis, z.B. aufgrund Entzug dieser durch den ausländischen Staat aufgrund von Gesetzeskonflikten des Expatriate oder durch Nichterteilung / Nichtverlängerung der Arbeitserlaubnis, wenn dies in der Verantwortung des Arbeitnehmers liegt[117]
- Arbeitsverhinderung aufgrund von Haft, z.B. wenn der Expatriate im ausländischen Staat mit den Gesetzen in Konflikt geraten ist und eine entsprechende Gefängnisstrafe zu verbüßen hat. Das BAG führt hierzu aus, dass die Verbüßung einer längeren Haftstrafe Grund für eine außerordentliche Kündigung ist, der Arbeitgeber muss jedoch alles Zumutbare unternehmen, um die Inhaftierungszeit zu überbrücken.[118] Der BAG hat ebenfalls die Kündigung eines Kranfahrers, welcher wegen Heroinhandels zu fünf Jahren Haftstrafe verurteilt wurde, für gerechtfertigt erachtet[119], ebenso im Falle eines Prokuristen bei zweieinhalb Jahren Haft aufgrund einer Vergewaltigung.[120]

---

[113] BAG v. 17.08.1972 – 2 AZR 415/71, NJW 1973, S. 533.

[114] Vgl. Heuser, A. (2004), S. 28f.

[115] Vgl. ebd. S. 29ff.

[116] Eigene Erfahrung des Verfassers, welcher aufgrund einer analogen Situation als Nachfolger ins Ausland entsendet wurde und somit die Auswirkungen dieser Problematik „am eigenen Leib" erfahren musste.

[117] LAG Hamm v. 09.02.1999 – 6 Sa 1700/98, NZA-RR, S. 240.

[118] BAG v. 09.03.1995 – 2 AZR 461/94, NZA 1995, S. 3005.

[119] BAG v. 22.09.1994 – 2 AZR 719/93, NJW 1995; S. 1172.

[120] BAG v. 09.03.1995 – 2 AZR 497/94, NZA 1995, S. 777.

- Langfristige Krankheit, wobei hier im speziellen Falle einer Auslandsentsendung Gefahren seitens der veränderten klimatischen Bedingungen als auch durch lokale Erreger (z.B. Malaria, Parasiten) drohen. Es ist hier auch zwischen langfristiger, dauerhafter Krankheit und häufigen Kurzerkrankungen zu unterscheiden. Im Falle einer dauerhaften Erkrankung hat es das BAG als erhebliche Beeinträchtigung der betrieblichen Interessen angesehen, wenn ein Arbeitnehmer zwei Jahre nicht gearbeitet hat und somit eine Kündigung für gerechtfertigt angesehen, wobei hier zusätzlich auf die Unternehmensgröße abzustellen ist.[121] Im Falle einer Vielzahl von Kurzerkrankungen ist sowohl auf eine negative Prognose hinsichtlich der Gesundheitsentwicklung des Arbeitnehmers, auf eine erhebliche Beeinträchtigung der betrieblichen Interessen als auch auf eine nicht mehr hinzunehmende Belastung des Arbeitgebers abzustellen.[122] Die zuvor genannten Entscheidungen der Rechtsprechung betreffen allerdings alle inländische Sachverhalte, für den Falle der Erkrankung im Laufe einer Auslandsentsendung liegt noch keine Rechtsprechung vor. Es darf in diesem Zusammenhang aber erwartet werden, dass der Maßstab für die krankheitsbedingte Kündigung zu Gunsten des Expatriate verschoben wird, wenn die Ursachen für die Erkrankung – wie z.B. im Falle einer Malariaerkrankung – letztendlich erst in der Auslandsentsendung zu suchen sind.

- Suchterkrankungen, z.B. Alkoholmissbrauch, welche eine besondere Gefahr für Expatriates darstellen, die mit der veränderten Lebenssituation nicht zurecht kommen. Dies ist insbesondere zu erwarten, wenn der Expatriate alleine, d.h. ohne Familie ins Ausland entsandt wird und es ihm nicht gelingt, vor Ort soziale Netzwerke aufzubauen. Verstärkend ist hier bei sicherlich der sich aus der Entsendung ergebende Stressfaktor anzusehen. Grundsätzlich stellen manifestierte Alkohol- und Drogenprobleme eine Erkrankung dar, aus diesem Grunde sind auch bei diesen die Grundsätze für langdauernde Krankheiten anzuwenden, d.h. die Therapie muss im Vordergrund stehen. Nichtsdestotrotz stellen Suchterkrankungen, wenn sie das Arbeitsverhältnis z.B. durch erhöhte Unfallgefahr oder verminderte Leistung berühren, einen Kündigungsgrund dar.[123]

---

[121] BAG v. 29.04.1999 – 2 AZR 431/98, NJW 2000, S. 893.

[122] BAG v. 20.01.2000 – 2 AZR 387/99, NJW 2001, S. 912 und BAG v. 29.04.1999 – 2 AZR 431/98, NJW 2000, S. 893.

[123] BAG v. 09.04.1987 – 2 AZR 210/87, NJW 1987, S.2956 und BAG v. 16.09.1999 – 2 AZR 123/99, NJW 2000, S. 828.

b)   Verhaltensbedingte Kündigungsgründe[124]

Als verhaltensbedingte Gründe für eine Kündigung kommen hauptsächlich schuldhafte Vertragsverletzungen seitens des Arbeitnehmers in Betracht, wobei hierdurch konkrete Störungen im Leistungs- oder Vertrauensbereich auftreten müssen. Einer verhaltensbedingten Kündigung hat regelmäßig eine Abmahnung vorauszugehen, um dem Arbeitnehmer die Änderung seines Verhaltens zu ermöglichen, jedoch nur, wenn die Wiederherstellung des Vertrauens erwartet werden kann.[125] Eine Abmahnung ist dann entbehrlich, wenn es sich um eine so schwere Pflichtverletzung handelt, dass die Rechtswidrigkeit für den Arbeitnehmer ohne weiteres zu erkennen gewesen wäre und eine Hinnahme der Pflichtverletzung durch den Arbeitgeber offensichtlich auszuschließen war.[126] Folgende Verhaltensweisen werden insbesondere von einer verhaltensbedingten Kündigung erfasst[127]:

* Begehen von Straftaten
* Mobbing von Kollegen
* Ankündigung von Krankheit
* Wiederholte Verspätung / Wiederholtes Fehlen
* Eigenmächtiger Urlaubsantritt
* Beleidigung und Tätlichkeiten gegenüber Arbeitskollegen
* Verstöße gegen die betriebliche Ordnung
* Verstöße gegen die Verschwiegenheitspflicht
* Rechtswidrige Arbeitsverweigerung
* Nebentätigkeit trotz ärztlicher Arbeitsunfähigkeitsbescheinigung
* Sexuelle Belästigung
* Privates Surfen im Internet und Versenden von privaten E-Mails / private Telefongespräche

Während ein Großteil der zuvor genannten Gründe unabhängig von einer Auslandsentsendung zu sehen ist, gibt es im Falle einer Auslandsentsendung einige spezielle Aspekte zu beachten, die nachfolgend kurz angesprochen werden sollen.
Im Falle einer Auslandsentsendung sieht sich der Expatriate mit einem neuen Kulturkreis konfrontiert, dessen Werte und Normen oftmals von den gewohnten abweichen. Diese Werte und Nor-

---

[124] Vgl. Heuser, A. (2004), S. 32ff.

[125] BAG v. 04.06.1997 – 2 AZR 526/96, NZA 1997, S. 1281.

[126] BAG v. 10.02.1999 – 2 ABR 31/98, NZA 1999, S. 708.

[127] Vgl. Heuser, A. (2004), S. 32f.

men sind oftmals auch in den Gesetzen und der Rechtsprechung des ausländischen Staates verankert, als Beispiel sei hier nur die Scharia in manchen islamischen Staaten angesprochen. Ohne ausreichende Aufklärung und Auseinandersetzung mit dem Recht des ausländischen Staates kann es vorkommen, dass der Expatriate Straftaten begeht, ohne dass er sich dessen bewusst ist. Es ist in diesem Falle hinsichtlich der Möglichkeit einer verhaltensbedingten Kündigung darauf abzustellen, in welchem Zusammenhang die Straftat mit dem Unternehmen zu sehen ist, d.h. ob sich die Straftat

- gegen das Unternehmen richtet
- im Betrieb begangen wird
- außerhalb des Betriebes, aber mit betrieblicher Relevanz
- oder ohne betrieblichen Bezug

verübt wird. Verhaltensbedingte Gründe für eine Kündigung sind grundsätzlich nur strafbare Handlungen, bei denen ein Zusammenhang mit den betrieblichen Interessen des Unternehmens zu sehen ist – allein die Straffälligkeit des Expatriate rechtfertigt keine verhaltensbedingte Kündigung (zur Verbüßung von Haftstrafen sei auf die personenbedingte Kündigung verwiesen). Dies bedeutet, dass außerhalb des Arbeitsverhältnissen begangene Straftaten nur dann eine Kündigung rechtfertigen, wenn betriebliche Interessen erheblich beeinträchtigt sind – als Beispiel seinen hier Vermögensdelikte eines Angestellten mit Vertrauensstellung oder grobe Verkehrsverstöße eines Kraftfahrers genannt.[128]

Ein für den Expatriate ebenfalls sehr relevanter Bereich ist die Handhabung der sexuellen Belästigung im Ausland. Es existieren hier im Ausland teilweise sehr rigide Gesetze – beispielhaft seinen hier wiederum die islamischen Länder genannt, in welche bereits das Berühren von Frauen einen Gesetzesverstoß darstellt oder auch die Vereinigten Staaten von Amerika, wo sich der Expatriate auch sehr schnell hohen Schadenersatzforderungen ausgesetzt sehen kann.

c)   Betriebsbedingte Kündigungsgründe[129]

Die letzte Gruppe stellen die bedingten Gründe für eine Kündigung dar. Betriebsbedingte Gründe liegen immer dann vor, wenn der Weiterbeschäftigung des Arbeitnehmers inner- oder außerbetriebliche Gründe entgegenstehen, sogenannte dringende betriebliche Erfordernisse. Bei diesen handelt es sich um unternehmerische Entscheidungen, welche eine Kündigung aufgrund der wirtschaftlichen Lage des Unternehmens unumgänglich machen. Als Beispiele für dringende betriebliche Erfordernisse für eine betriebliche Kündigung seinen hier Rationalisierung, Betriebsstille-

---

[128] Vgl. Heuser, A. (2004), S. 34f.
[129] Vgl. ebd. S. 37.

gungen, Auftragsmangel oder Umsatzrückgang genannt. Aufgrund des sich rasant drehenden Karussells auf den globalen Märkten ist der Expatriate von allen diesen zuvor genannten Punkten betroffen – wie schnell wird der vor kurzem noch lukrative Standort des Expatriate aufgegeben und aus wirtschaftlichen Gesichtspunkten in einem anderen Staat verlegt. Da sich in diesem Falle oftmals Schwierigkeiten hinsichtlich der Weiterbeschäftigung oder Versetzung des Arbeitnehmers ergeben, ist die betriebsbedingte Kündigung möglicherweise die einzige Option des Arbeitgebers. Es sei hierbei noch darauf hingewiesen, dass nach einer Entscheidung des LAG Rheinland-Pfalz eine betriebsbedingte Kündigung nicht nur bei bereits erfolgter Betriebsstilllegung als gerechtfertigt angesehen werden kann, sondern auch schon bei beabsichtigter Betriebsstilllegung. Voraussetzung ist hierfür lediglich, dass der Arbeitgeber die Umsetzung des Plans zur Betriebsstilllegung bereits gestartet hat und der Mitarbeiter für die restliche Umsetzung entbehrlich ist.[130]

6.   Rückzahlungsklauseln

Der Auslandseinsatz ist für das entsendende Unternehmen regelmäßig mit erhebliche Kosten verbunden, man denke in diesem Zusammenhang nur an Umzugskosten, Auslandszuschläge, Integrationsseminare, Clubmitgliedschaften oder Schulen für die Kinder des Expatriate. Oftmals wird der Arbeitgeber aus diesen Gründen im Entsendungsvertrag entsprechende Klauseln festschreiben, aus welchen ein Rückzahlungsanspruch des Arbeitnehmers bei dessen vorzeitigen Beendigung des Auslandseinsatzes hergeleitet werden kann. Grundsätzlich sind diese Vertragsklausel wirksam, es muss jedoch beachtet werden, dass die Grenzen hinsichtlich der freien Wahl des Arbeitsplatzes gem. Art. 12 Abs. 1 GG nicht überschritten werden.[131] Das BAG hat in diesem Zusammenhang hinsichtlich einer Rückzahlungsklausel, welche eine pauschale Summe ähnlich einer Vertragsstrafe vorsah, deren Wirksamkeit nur bejaht, wenn die zurückgeforderte Summe ein Monatsgehalt nicht übersteigt.[132] Hat die Rückzahlungsklausel jedoch nur den Zweck, den Arbeitnehmer davon abzuhalten, selbst ordentlich zu kündigen, da er hieraus entsprechende finanzielle Aufwendungen fürchten muss, ist von deren Unwirksamkeit auszugehen.[133] Im speziellen Falle der Umzugskosten, der Kosten für einen Sprachunterricht sowie der Kosten für die Hin- und Rückreise sind die potentiellen Rückzahlungsverpflichtungen der Arbeitnehmers etwas differenzierter zu betrachten. Entscheidend ist hierbei, was zur vorzeitigen Beendigung des Auslandseinsatzes führt. Verletzt des Expatriate seine arbeitsvertraglichen Pflichten – möglicherweise sogar in einem Umfang, welcher einer außerordentlichen Kündigung seitens des Arbeitgebers genügen würde – so kann der Arbeitgeber die entstandenen Kosten zumindest teilweise zurückverlangen.

---

[130] LAG Rheinland-Pfalz v. 25.07.2001 – 10 Sa 350/01, BeckRS 2001 30467237.

[131] Vgl. Hofmann, K. / Nowak, H. / Rohrbach, T. (2002), S. 54f.

[132] BAG v. 24.02.1975 – 5 AZR 235/74.

[133] BAG v. 21.03.1973 – 4 AZR 187/72.

Im Falle einer ordentlichen Kündigung seitens des Arbeitnehmers ist es fraglich, ob eine hierdurch eine entsprechende Rückzahlungsverpflichtung ausgelöst wird, da hier die Rückzahlungspflicht in der Regel nur den Zweck hat, den Mitarbeiter von der Kündigung abzuhalten – siehe hierzu die zuvor gemachten Ausführungen. Allerdings ist hierbei sicherlich auf den Einzelfall abzustellen. Hat die Auslandsentsendung des Arbeitnehmers das primäre Ziel, diesen fachlich und persönlich weiterzuentwickeln, so könnte unter Berücksichtigung der Rechtsprechung[134] hinsichtlich der Rückzahlungspflicht von Ausbildungsbeihilfen durchaus von einer Rückzahlungspflicht des Arbeitnehmers ausgegangen werden.[135]

Im Falle einer Kündigung ist der Betriebsrat gem. § 102 Abs. 1 BetrVG vorher anzuhören; eine ohne Anhörung des Betriebsrates ausgesprochene Kündigung ist gem. § 102 Abs. 1 S. 3 BetrVG unwirksam. Es stellt sich nun die Frage, inwieweit das BetrVG auf das Arbeitsverhältnis eines im Ausland eingesetzten Expatriate anwendbar ist – diese Frage soll nun sowohl hinsichtlich der Kündigung als auch der anderen Regelungsbereiche des BetrVG nachfolgend erörtert werden.

D. Beteiligung des Betriebsrates bei der Auslandsentsendung

Das Betriebsverfassungsgesetz (BetrVG) ist neben dem KSchG ein weiteres für den Arbeitnehmer sehr relevantes Schutzgesetz. Um im Vorfeld und während der Entsendung die ggf. relevanten Aspekte des BetrVG beachten zu können, ist eine tiefergehende Beleuchtung auch aus Gründen etwaiger rechtlicher Folgen notwendig.

I. Anwendbarkeit des BetrVG

Ähnlich wie beim KSchG stellt sich beim BetrVG ebenfalls die Frage nach der Anwendbarkeit bei einer Auslandsentsendung des Arbeitnehmers, wobei dies außerordentlich schwierig und auch in der Rechtsprechung des BAG noch nicht abschließend geklärt ist.[136] Nach der ständigen Rechtsprechung des BAG[137] richtet sich der räumliche Anwendungsbereich des BetrVG nach dem Territorialprinzip, in welchem der Sitz des Betriebes den Anknüpfungspunkt darstellt. Somit findet das BetrVG auf alle in der Bundesrepublik Deutschland ansässigen Betriebe Anwendung. Ausnahmen hiervon sind die gesetzlich normierten Fälle wie z.B. §§ 114ff BetrVG (Seeschiff-

---

[134] Vgl. bspw. BAG v. 11.04.2006 – 9 AZR 610/05, NJW 2006, S. 3083; BAG v. 16.11.2005 – 10 AZR 235/05, NZA 2006, S. 456; BAG vom 24.06.2004 – 6 AZR 383/03, NJW 2004, S. 3059.

[135] Vgl. Hofmann, K. / Nowak, H. / Rohrbach, T. (2002), S. 55f.

[136] Vgl. Reiter, C. (2004), S. 1249.

[137] Beispielhaft BAG v. 07.12.1989 – 2 AZR 228/89, NJW 1990, S. 3104 und BAG v. 22.03.2000 – 7 ABR 34/98, NZA 2000, S. 1119.

fahrt), 118 BetrVG (Tendenzbetriebe und Religionsgemeinschaften) und 130 BetrVG (Öffentlicher Dienst). Hieraus folgt, dass das BetrVG auch alle diejenigen Arbeitnehmer erfasst, welche als Expatriate in einem im Geltungsbereich des BetrVG gelegenen Betrieb tätig sind. Im Gegenschluss ist aber eine Anwendung des BetrVG ausgeschlossen, wenn der Betrieb im Ausland liegt, der Expatriate deutscher Staatsangehöriger ist und auf das Vertragsverhältnis deutsches Recht Anwendung findet.[138] Das BetrVG selbst unterliegt nicht dem Arbeitsvertragsstatut, seine Anwendung ist einer entsprechenden vertraglichen Vereinbarung, gleichwohl in welcher Hinsicht nicht zugänglich, d.h. die Vertragsparteien können auch nicht vereinbaren, dass das BetrVG bei einem Auslandseinsatz Anwendung findet.[139] Hieraus allerdings zu schließen, dass das BetrVG keinesfalls auf einen ins Ausland entsandten Arbeitnehmer anwendbar ist, wäre falsch. Hierbei ist nicht auf das Territorialprinzip abzustellen, vielmehr muss die Frage nach dem persönlichen Geltungsbereich des BetrVG gestellt werden. Das BAG hat in einer Vielzahl von Urteilen[140] hierzu festgestellt, dass das BetrVG dann Anwendung auf den ins Ausland entsandten Mitarbeiter Anwendung findet, wenn sich die Auslandtätigkeit als Ausstrahlung des Inlandsbetriebes darstellt.[141] Es ist in diesem Zusammen natürlich nun näher zu erläutern, was unter dem Begriff „Ausstrahlung" zu verstehen, ist, da dieser im BetrVG – im Gegensatz zum Sozialversicherungsrecht, dort in § 4 Abs. 1 SGB IV – nicht definiert ist. Ausstrahlung im Sinne der zuvor genannten Rechtssprechung des BAG bedeutet, dass der Expatriate weiterhin trotz seiner Auslandtätigkeit dem inländischen Betrieb zugeordnet werden kann. Dies ist dann der Fall, wenn der Arbeitnehmer mit dem Betrieb in einem Arbeitsverhältnis steht und für diesen innerhalb der betrieblichen Organisation abhängige Arbeitsleistungen erbringt. Unter welchen Voraussetzungen eine betriebliche Zugehörigkeit des Expatriate zum inländischen Betrieb zu bejahen ist, lässt sich allerdings nicht einheitlich beantworten. Auch das BAG hat hier in der Vergangenheit keine einheitliche Linie in der Rechtsprechung entwickelt, sondern regelmäßig auf die Würdigung der maßgeblichen Umstände des Einzelfalls abgestellt.[142] Während diese Vorgehensweise im Einzelfall sicherlich zu begrüßen ist und auch zu angemessenen Ergebnissen geführt hat, stellt sie den Rechtsanwender natürlich vor eine gewisse Interpretationsunsicherheit. Nachfolgend seinen aus diesem Grund beispielhaft einzelne höchstrichterliche Entscheidungen näherer beleuchtet:

---

[138] Vgl. Heuser, A. (2004), S. 48.

[139] Vgl. Laber, J. / Werxhausen, V. / Antoni-May, G. (2003), S. 35 und Hofmann, K. / Nowak, H. / Rohrbach, T. (2002), S. 47.

[140] Beispielhaft BAG v. 21.10.1980 – 6 AZR 640/79, NJW 1981, S. 1175; BAG v. 30.04.1987 – 2 AZR 192/86, NZA 1988, S. 135; BAG v. 07.12.1989 – 2 AZR 228/89, NJW 1990, S. 3104 und BAG v. 22.03.2000 – 7 ABR 34/98, NZA 2000, S. 1119.

[141] Vgl. Israel, N. (2006), S. 77.

[142] Vgl. Heuser, A. (2004), S. 53.

- Keine Geltung des BetrVG hinsichtlich des passiven Wahlrechtes zum inländischen Betrieb für einen Arbeitnehmer, der seit mehr als 15 Jahren ins Ausland entsandt ist[143]
- Geltung des BetrVG für einen Monteur, wenn dieser nicht in die ausländische betriebliche Organisation eingebunden ist oder – bei Einbindung in die ausländische betriebliche Organisation – dieser einen nur zeitlich befristeten Auftrag erledigt[144]
- Keine Geltung des BetrVG für einen Arbeitnehmer im Falle einer Kündigung, welcher für ein Unternehmen in Kolumbien tätig war. Voraussetzung für die Weitergeltung des BetrVG sei eine persönliche, tätigkeitsbezogene und rechtliche Bindung an den entsendenden Betrieb. Dies sei hier jedoch nicht der Fall, da der Arbeitnehmer nie im inländischen Betrieb tätig gewesen ist[145]
- Keine Geltung des BetrVG für ein Arbeitsverhältnis, welches ausdrücklich im Vertrag als „Auslandsarbeitsverhältnis" bezeichnet wurde und dessen Laufzeit erst mit der Ausreise des Arbeitnehmers aus der Bundesrepublik Deutschland begann. Ein anderweitiger Einsatz des Arbeitnehmers sollte ebenfalls nur im Entsendungsstaat möglich sein. Eine Bindung zum inländischen Betrieb war nicht zu erkennen, dem steht auch die Überweisung des Gehaltes auf ein deutsches Konto oder eine entsprechende Reisekostenabsprache nicht entgegen, da es sich hierbei um reine technische Abwicklungsregelungen aus dem Vertrag handelt[146]
- Geltung des BetrVG für eine Arbeitnehmerin, welche zuerst in der inländischen Zentrale beschäftigt war und anschließend eine Tätigkeit als Reiseleiterin aufnahm. Das BAG hat in dieser Entscheidung verschiedene Indizien herausgearbeitet, welche für eine Weitergeltung des BetrVG sprechen. Hier sind die Dauer des Auslandseinsatzes, die Eingliederung in den ausländischen Betrieb, das Bestehen und die Voraussetzungen eines Rückrufrechtes zu einem Inlandseinsatzes sowie die Vereinbarung einer Weisungsbefugnis des inländischen Unternehmens zu nennen.[147]
- Geltung des BetrVG für einen Sachverständigen, welcher im Inland ausgebildet wurde und anschließend bei der ausländischen Tochtergesellschaft nach dem deutschen Recht amtlich anerkannte Prüfungen durchführte. Aufgrund der Tatsache, dass der Arbeitnehmer bei der Prüfertätigkeit weiterhin den Weisungen des deutschen Unternehmens unterlag sowie

---

[143] BAG v. 25.04.1978 – 6 ABR 2/77.

[144] BAG v. 25.04.1978 – 6 ABR 2/77.

[145] BAG v. 21.10.1980 – DB 1981, 696.

[146] BAG v. 30.04.1987 – 2 AZR 192/86, NZA 1988, S. 135.

[147] BAG v. 07.12.1989 – 2 AZR 228/89, NJW 1990, S. 3104.

die durchgeführten Prüfungen den Anforderungen der deutschen Gesetze genügten, sei eine Ausstrahlung zu bejahen[148]

Zusammenfassend lässt sich somit feststellen, dass das BetrVG in den Fällen, in welchen das inländische Vertragsverhältnis bestehen bleibt und dieses durch einen Entsendungsvertrag ergänzt wird, vor während und nach der Auslandsentsendung Anwendung findet.[149] Maßgebliche Indizien für das Vorliegen einer Ausstrahlung sind in einem Weisungs- und Rückrufrecht seitens des Arbeitgebers sowie in der weiterhin bestehenden Integration des Arbeitnehmers in das inländische Unternehmen zu sehen. Im Falle eines Übertrittes in die ausländische Gesellschaft oder in Fällen, in denen der Arbeitnehmer komplett in die im Ausland bestehende Organisation eingegliedert wird und jeder Kontakt – im Sinne der arbeitgeberseitigen Weisungsbefugnis – abgebrochen wird, ist eine Geltung des BetrVG zu verneinen. Liegt eine Ausstrahlung vor, hat der entsandte Mitarbeiter auch das aktive (unstrittig) und passive (strittig) Wahlrecht zum Betriebsrat.[150]

II. Rechte des Betriebsrates

Im Falle einer Ausstrahlung des BetrVG sind die Rechte des Betriebsrates in mehrfacher Hinsicht zu berücksichtigen. So ist bereits im Vorfeld der Auslandsentsendung der Betriebsrat hinzuzuziehen, da es sich bei einer Auslandsentsendung regelmäßig um eine Versetzung im Sinne des § 99 i.V.m. § 95 Abs. 3 BetrVG handelt, da eine Auslandsentsendung den genannten Zeitraum von einem Monat im Normalfall überschreitet oder mit einer erheblichen Änderung der Umstände, unter denen die Arbeit zu leisten ist, einher geht. Es stellt sich hier nun die Frage, ob eine Auslandsentsendung die zuvor genannten Kriterien erfüllt. Das BAG[151] hat hierzu entschieden, dass eine Versetzung im Sinne des § 95 Abs. 3 BetrVG auch bereits dann vorliegt, wenn der Arbeitnehmer einen anderen Arbeitsort zugewiesen bekommt, ohne dass sich sein Arbeitsbereich ändert. Somit finden die Regelungen des § 99 BetrVG bei einer Auslandsentsendung Anwendung und der Betriebsrat ist entsprechend hinzuzuziehen. Bei einer höchstens einmonatigen Dienstreise ist auf die Umstände des Einzelfalls abzustellen – die Notwendigkeit einer auswärtigen Übernachtung stellt nicht generell eine erhebliche Änderung des Arbeitsbereiches im Sinne des § 95 Abs. 3 S. 1 BetrVG dar.[152] Somit ist der Betriebsrat bei der Versetzung ins Ausland, bei Versetzungen im Ausland als auch beim Rückruf des Expatriate aus dem Ausland und dessen Wiedereingliederung

---

[148] BAG v. 20.02.2001 – 1 ABR 30/00, NZA 2001, S. 1033.

[149] Vgl. Mütze, K. / Popp, M. (2007), S. 65.

[150] BAG v. 22.03.2000 – 7 ABR 34/98, NZA 2000, 1119 und vgl. Laber, J. / Werxhausen, V. / Antoni-May, G. (2003), S. 36.

[151] BAG v. 18.02.1986 – 1 ABR 27/84, NZA 1986, S 616.

[152] BAG v. 21.09.1999 – 1 ABR 40/98, NZA 2000, S. 781.

im Inland entsprechend zu beteiligen.[153] Der Betriebsrat ist ebenfalls bei einer Kündigung gem. §
102 Abs. 1 S. 1 BetrVG vorab zu hören, eine ohne Anhörung des Betriebsrates ausgesprochene
Kündigung ist unwirksam - § 102 Abs. 1 S. 3 BetrVG. Die Mitbestimmungsrechte des Betriebsrates in sozialen Angelegenheiten erstrecken sich auch auf den Expatriate, so z.b. auf die betriebliche Lohngestaltung inkl. der Regelungen für die Zulagen, die das Unternehmen den vorübergehend ins Ausland entsandten Mitarbeitern gewährt.[154] Im Falle einer auf die Arbeitnehmer im Ausland bezogenen Betriebsvereinbarung hat das LAG Düsseldorf diese mit Hinweis auf das Territorialprinzip abgelehnt.[155] Ebenfalls abgelehnt hat der BAG die Bildung von inländischen Betriebsräten im Ausland oder ein Tätigwerden des inländischen Betriebsrates im Ausland im Sinne von Be-
triebsversammlungen o.ä. Der Betriebsrat kann zwar Beteiligungsrechte für vorübergehend ins
Ausland entsandte Arbeitnehmer ausüben, nicht aber selbst als Organ im Ausland tätig werden.[156]

III. Behandlung leitender Angestellter bei der Auslandsentsendung

Gem. § 5 Abs. 3 S. 1 BetrVG findet das BetrVG keine Anwendung auf leitende Angestellte, soweit
in ihm nicht ausdrücklich etwas anderes bestimmt ist. Wer als leitender Angestellter im Sinne des
BetrVG anzusehen ist bestimmt sich nach den Regelungen des § 5 Abs. 3 S. 2, Abs. 4 BetrVG.
Fraglich ist nun in diesem Zusammenhang, auf welche Arbeitnehmer in leitender Funktion das
BetrVG anzuwenden ist. Hierbei ist eine Prüfung entsprechend der inländischen Vorgehensweise
durchzuführen und eine Einordnung des Arbeitnehmers in die Kategorien des § 5 BetrVG vorzunehmen. Es dürfte allerdings vor allem in größeren Unternehmen selten vorkommen, dass der leitende Angestellte in der ausländischen Gesellschaft Entscheidungen im Wesentlichen weisungs-
frei von der inländischen Gesellschaft trifft. Ob der Expatriate als leitender Angestellter zu sehen
ist, ist anhand der Einzelfallsmerkmale zu überprüfen, im Regelfall dürfte dies jedoch zu verneinen sein. Aus diesem Grunde sei dem Arbeitgeber bereits im Vorfeld zu einer eingehenden rechtlichen Prüfung geraten, auch Vorsichtsmaßnahmen wie die Anhörung des Betriebsrates im Vorfeld einer Kündigung scheinen durchaus angebracht.[157]

---

[153] Vgl. Heuser, A. (2004), S. 54.

[154] BAG v. 30.01.1990 – 1 ABR 2/89, NZA 1990, S. 571.

[155] LAG Düsseldorf v. 24.03.1998 – 3 (9) Sa 1990/97, BeckRS 2007 47590.

[156] BAG v. 27.05.1982 – 6 ABR 28/80, NJW 1983, S. 413.

[157] Vgl. Heuser, A. (2004), S. 57f.

E. Zusammenfassung und Ausblick

Die Arbeitnehmerentsendung wird weiter zunehmen – Zweifel hieran sind aufgrund der immer weiter fortschreitenden Globalisierung und Flexibilisierung der Arbeit nicht angebracht. Eine höhere Anzahl an Auslandsentsendungen führt aber auch zwangsläufig zu einer ansteigenden Zahl von arbeitsrechtlichen Problemstellungen – und hierfür benötigen alle beteiligten Parteien, insbesondere Arbeitgeber und Arbeitnehmer, zukunftsorientierte, klare und einfach zu handhabende Regelungen. Die in den vergangen Kapiteln gemachten Ausführungen zeigen deutlich, wie weit wir von einem europäischen Arbeitsrecht entfernt sind – denn hätten wir dieses, müssten wir uns nicht mit gewähltem Recht, Gerichtsständen oder Kollisionsrecht auseinandersetzen. Auch sei hier nochmals der in dieser Arbeit nicht behandelte sozialversicherungs- und steuerrechtliche Aspekt angesprochen, welcher hinsichtlich des Regelungsbedarfs und -umfangs den arbeitsrechtlichen Fragestellungen in keinster Weise nachsteht. Natürlich finden sich in den einzelnen Mitgliedsländern der Europäischen Union aus traditionellen Gründen die unterschiedlichsten Regelungen – man denke hier nur an die zuletzt beigetretenen Staaten aus dem ehemals sozialistischem Umfeld, welche den notwendigen Kompromiss nur noch schwieriger machen. Die Europäische Kommission ist hier aber weiterhin gefordert, mit rücksichtsvoller aber doch strenger Hand die notwendige europaweite Angleichung voranzubringen. Wie es effektiv weitergehen wird, ist aktuell nur schwer abzuschätzen, den es bleiben auch heute noch viele Baustellen im europäischen Arbeitsrecht.[158] Sicher ist jedoch, dass die Schlagworte Flexibilisierung, Globalisierung, Technologischer Wandel, Individualisierung und Demographischer Wandel erheblichen Einfluss haben werden.[159] Mit dem neuen Grünbuch sucht die Europäische Kommission nach neuen Wegen, um „Ein modernes Arbeitsrecht für die Herausforderungen des 21. Jahrhundert" erarbeiten zu können.[160] Hierin breitet die Kommission insgesamt 14 Fragen aus, zu welchen die involvierten Parteien aufgefordert sind, Stellung zu beziehen. Die Kommission hat es sich mit dem Grünbuch zur Aufgabe bestimmt, auf den europäischen Arbeitsmärkten bei größerer Flexibilität für die größtmögliche Sicherheit für alle zu sorgen.[161] Die zuvor genannten 14 Fragen gliedern sich in sieben Fragenkomplexe, welche die zukünftigen Herausforderungen des europäischen Arbeitsrechts zusammenfassen:

---

[158] Vgl. Thüsing, G. (2008), S. 9.

[159] Vgl. Waas, B. (2007), S. 76ff.

[160] Vgl. Kommission der Europäischen Gemeinschaften – Grünbuch, 22.11.2006

[161] Vgl. Kommission der Europäischen Gemeinschaften – Grünbuch, 22.11.2006, S. 3.

- Ein flexibler und integrativer Arbeitsmarkt, welcher zunehmend Bedarf an Arbeitnehmern mit Nicht-Standardarbeitsverträgen[162] hat

- Unterschiedliche Handhabung der Beschäftigungsübergänge in den einzelnen Mitgliedstaaten, flexiblere Kündigungsschutzgesetze in Kombination mit durchdachten Unterstützungsleistungen

- Unsicherheit hinsichtlich der Gesetzeslage, insbesondere bei Nicht-Standard – Beschäftigungsformen und „Scheinselbständigen". Europaweit einheitlicher Grundstock an Vorschriften, welcher unabhängig von der Vertragsform die Beschäftigungsbedingungen regelt

- Dreiseitige Arbeitsverhältnisse (Leiharbeitnehmer), insbesondere die Verantwortlichkeiten der einzelnen Parteien und der Beschäftigungsstatus der Leiharbeiternehmer

- Flexibilisierung der Arbeitszeit, bei gleichzeitig höherem Schutzniveau für die Arbeitnehmer

- Fragen der Rechtsdurchsetzung und der Schwarzarbeit

- Gewährleistung der Beschäftigungsrechte von Arbeitnehmern, die in einem grenzüberschreitenden Bezug arbeiten, in diesem Zusammenhang ggf. europaweit einheitliche Definition des Arbeitnehmerbegriffes

Die Rückmeldungen der involvierten Parteien hat die Kommission in einer Mitteilung zusammengefasst.[163] Insgesamt haben sich 450 Interessenträger zu Wort gemeldet – nationale Regierungen, regionale Regierungen, nationale Parlamente, Sozialpartner, Nicht-Regierungsorganisationen, einzelne Unternehmen, Rechtsexperten, Wissenschaftler und Privatpersonen. Natürlich sind die einzelnen Meinungen von einem Konsens weit entfernt – dies war aber auch nicht zu erwarten. Auf eine einzelne Darstellung der separaten Meinungen zu den oben genannten Fragenkomplexen sei hier bewusst verzichtet. Letztendlich müssen die weiteren Schritte der Kommission abgewartet werden, welche den gelieferten Input aufgenommen hat und noch im Jahre 2008 verarbeiten wird – die öffentliche Anhörung hat nach Meinung der Kommissi-

---

[162] Als Standardarbeitsvertrag werden im Grünbuch diejenigen Arbeitsformen definiert, die vom Modell des auf unbestimmte Dauer geschlossenen oder unbefristeten Arbeitsverhältnisses auf der Grundlage einer nicht unterbrochenen Vollzeitarbeitswoche abweichen.

[163] Vgl. Kommission der Europäischen Gemeinschaften – Ergebnis der öffentlichen Anhörung zum Grünbuch der Kommission „Ein moderneres Arbeitsrecht für die Herausforderungen des 21. Jahrhunderts", 24.10.2007.

on ihren Zweck erfüllt und wird zu einem zukunftsorientierten europäischen Arbeitsrecht beitragen – wie auch immer dieses dann auch ausgestaltet sein wird.[164]

---

[164] Vgl. Kommission der Europäischen Gemeinschaften – Ergebnis der öffentlichen Anhörung zum Grünbuch der Kommission „Ein moderneres Arbeitsrecht für die Herausforderungen des 21. Jahrhunderts", 24.10.2007, S. 10.

F. Literaturverzeichnis

Alpmann Brockhaus: „Fachlexikon Recht", Mannheim – Münster, Alpmann & Schmidt Juristische Lehrgänge GmbH & CoKG und Bibliographisches Institut & F.A. Brockhaus AG, 2005

Borgmann, B.: „Die Entsendung von Arbeitnehmern in der Europäischen Gemeinschaft – Wechselwirkungen zwischen Kollisionsrecht, Grundfreiheiten und Spezialgesetzen"; Frankfurt/Main, Peter Lang GmbH Europäischer Verlag der Wissenschaften, 2001

Blanpain, R. / Schmidt, M. / Schweibert, U.: „Europäisches Arbeitsrecht", Baden – Baden, Nomos Verlagsgesellschaft, 1996

Blom, H. / Meier, H.: „Interkulturelles Management", Berlin, Herne-Verlag, 2004

Djarrahzadeh, M. / Schwuchow, K.: „Vom Auslandseinsatz zur internationalen Personalentwicklung" in: Coenenberg, A. / Funk, J. / Djarrahzadeh, M. (Hrsg.): „Internationalisierung als Herausforderung für das Personalmanagement", Stuttgart, Schäffer-Poeschel, 1993

Fischlmayr, I.: „Expatriation – Ein Handbuch zur Entsendung von Mitarbeitern ins Ausland", Linz, Trauner Verlag, 2004

Fuchs, M. / Marhold, F.: „Europäisches Arbeitsrecht", Wien, Springer Verlag, 2006

Geiger, H. / Mürbe, M. / Linderer, S. / Obenhaus, W.: „Beck´sches Rechtslexikon", München, Verlag C.H. Beck, 2003

Heilmann, F.: „Das Arbeitsvertragsstatut", Konstanz, Hartung – Gorre Verlag, 1991

Heuser, A.: „Die Entsendung deutscher Mitarbeiter ins Ausland", Bielefeld, W. Bertelsmann Verlag, 2004

Hofmann, K. / Nowak, H. / Rohrbach, T.: „Auslandsentsendung – Vorteile, Vorschriften und Gestaltungsmöglichkeiten der Entsendung im Arbeitsrecht, Steuerrecht und Sozialversicherungsrecht", München, Rudolf Haufe Verlag, 2002

Israel, N.: „Expatriates – Grundlagen, Auswahl, Erfolgsfaktoren", Saarbrücken, VDM Verlag Dr. Müller, 2006

Kammel, A. / Teichelmann, D.: „Internationaler Personaleinsatz - konzeptionelle und instrumentelle Grundlagen", München, R. Oldenbourg Verlag, 1994

Kollinger, I.: „Der Auslandseinsatz von weiblichen Führungskräften", München und Mering, Rainer Hampp Verlag, 2005

Kommission der Europäischen Gemeinschaften: „Grünbuch – Ein moderneres Arbeitsrecht für die Herausforderungen des 21. Jahrhunderts", Brüssel, 2006

Kommission der Europäischen Gemeinschaften: „Ergebnis der öffentlichen Anhörung zum Grünbuch der Kommission „Ein moderneres Arbeitsrecht für die Herausforderungen des 21. Jahrhunderts"", Brüssel, 2007

Krimphove, D.: „Europäisches Arbeitsrecht", München, Verlag C.H. Beck, 2001

Kühlmann, T.: „Auslandseinsatz von Mitarbeitern", Göttingen – Bern – Toronto – Seattle, Hogrefe-Verlag, 2004

Kutschker, M. / Schmid, S.: „Internationales Management", München, R. Oldenbourg Verlag, 2002

Laber, J. / Werxhausen, V. / Antoni-May, G.: „Auslandsentsendung von Mitarbeitern", Köln, Bundesagentur für Außenwirtschaft, 2003

Mütze, K. / Popp, M.: „Handbuch Auslandsentsendung", Frechen, Datakontext Fachverlag, 2007

Pawlik, T.: „Personalmanagement und Auslandseinsatz – kulturelle und personalwirtschaftliche Aspekte", Wiesbaden, Betriebswirtschaftlicher Verlag Dr. Th. Gabler GmbH, 2000

Reiter, C.: „Anwendbare Rechtsnormen bei der Kündigung ins Ausland entsandter Arbeitnehmer", in: NZA, Heft 22, 2004

Thüsing, G.: „Europäisches Arbeitsrecht", München, Verlag C.H. Beck, 2008

Thüsing, G.: „Arbeitsrechtlicher Diskriminierungsschutz – Das neue Allgemeine Gleichbehand-lungsgesetz und andere arbeitsrechtliche Benachteiligungsverbote", München, Verlag C.H. Beck, 2007

Waas, B.: „Überlegungen zur Fortentwicklung des deutschen Arbeitsrechts - Diskussion im In-land, Anstöße aus dem Ausland", in: RdA, Heft 2, 2007

G. Entscheidungsregister und Fundstellen

EuGH v. 26.05.1982 – Rs 133/81, LSK 1983, 350059

http://beck-online.beck.de/Default.aspx?vpath=bibdata\ents\lsk\1983\3500\lsk.1983.35.0059.htm&pos=0&lasthit=true&hlwords=#xhlhit

EuGH v. 15.01.1987 – Rs 266/85, NJW 1987, S. 1131.

http://beck-online.beck.de/Default.aspx?vpath=bibdata\zeits\njw\1987\cont\njw.1987.1131.2.htm&pos=0&lasthit=true&hlwords=#xhlhit

EuGH v. 15.02.1989 – Rs 32/88, LSK 1990, 180177.

http://beck-online.beck.de/Default.aspx?vpath=bibdata\ents\lsk\1990\1800\lsk.1990.18.0177.htm&pos=0&lasthit=true&hlwords=#xhlhit

EuGH v. 27.03.1990 – Rs C-113/89, NZA 1990, S. 653

http://beck-online.beck.de/Default.aspx?vpath=bibdata\zeits\nza\1990\cont\nza.1990.653.1.htm&pos=0&hlwords=Rs#xhlhit

EuGH v. 13.07.1993 – Rs C-125/92, LSK 1997, 180412.

http://beck-online.beck.de/Default.aspx?vpath=bibdata\ents\lsk\1997\1800\lsk.1997.18.0412.htm&pos=0&hlwords=Rs#xhlhit

EuGH v. 30.11.1993 – C 189/91, BeckRS 2004 74804.

http://beck-online.beck.de/?vpath=bibdata%5cents%5curteile%5c2004%5ccont%5cbeckrs_2004_74804.htm

EuGH v. 09.08.1994 – Rs C-43/93, LSK 1994, 460225

http://beck-online.beck.de/Default.aspx?vpath=bibdata\ents\lsk\1994\4600\lsk.1994.46.0225.htm&pos=0&hlwords=Rs#xhlhit

EuGH, 09.01.1997 – Rs. C-383/95, NZA 1997, S. 225.

http://beck-online.beck.de/Default.aspx?vpath=bibdata\zeits\nza\1997\cont\nza.1997.225.1.htm&pos=0&hlwords=Rs#xhlhit

BAG v. 17.08.1972 – 2 AZR 415/71, NJW 1973, S. 533.

http://beck-online.beck.de/?vpath=bibdata%5czeits%5cNJW%5c1973%5ccont%5cNJW.1973.533.1.htm

BAG v. 21.03.1973 – 4 AZR 187/72.

http://beck-online.beck.de/Default.aspx?vpath=bibdata%2Fzeits%2FAP%2FBAT%2Fcont%2FAP%2EBAT%2E44%2E4%2Ehtm#A

BAG v. 24.02.1975 – 5 AZR 235/74.

http://beck-online.beck.de/Default.aspx?vpath=bibdata%2Fzeits%2FAP%2FGG%2Fcont%2FAP%2EGG%2E12%2E50%2Ehtm#A

BAG v. 25.04.1978 – 6 ABR 2/77.

http://beckonline.beck.de/Default.aspx?vpath=bibdata%2Fzeits%2FAP%2FInternat_Privatrecht_Arbeitsrecht%2Fcont%2FAP%2EInternat_Privatrecht_Arbeitsrecht%2E16%2Ehtm#A

BAG v. 21.10.1980 – 6 AZR 640/79, NJW 1981, S. 1175.

http://beck-online.beck.de/Default.aspx?vpath=bibdata\zeits\njw\1981\cont\njw.1981.1175.1.htm&pos=0&hlwords=#xhlhit

BAG v. 27.05.1982 – 6 ABR 28/80, NJW 1983, S. 413.

http://beck-online.beck.de/Default.aspx?vpath=bibdata%2Fzeits%2FNJW%2F1983%2Fcont%2FNJW%2E1983%2E413%2E1%2Ehtm#A

BAG v. 05.05.1983 – AZR 108/81, NZA 1983, S. 1258.

http://beck-online.beck.de/?vpath=bibdata%5czeits%5cNZA%5c1983%5ccont%5cNZA.1983.1258.1.htm

BAG v. 08.12.1983 – 2 AZR 337/82, NJW 1984, S. 1651.

http://beck-online.beck.de/Default.aspx?vpath=bibdata\zeits\njw\1984\cont\njw.1984.1651.1.htm&pos=0&hlwords=#xhlhit

BAG v. 18.02.1986 – 1 ABR 27/84, NZA 1986, S 616.

http://beck-online.beck.de/?vpath=bibdata%5czeits%5cNZA%5c1986%5ccont%5cNZA.1986.616.1.htm

BAG v. 09.04.1987 – 2 AZR 210/87, NJW 1987, S.2956

http://beck-online.beck.de/?vpath=bibdata%5czeits%5cNJW%5c1987%5ccont%5cNJW.1987.2956.1.htm

BAG v. 30.04.1987 – 2 AZR 192/86, NZA 1988, S. 135

http://beck-online.beck.de/?vpath=bibdata%5czeits%5cNZA%5c1988%5ccont%5cNZA.1988.135.1.htm

BAG v. 16.03.1988 – 7 AZR 587/87, NZA 1988, S. 875.

http://beck-online.beck.de/Default.aspx?vpath=bibdata\zeits\nza\1988\cont\nza.1988.875.1.htm&pos=0&hlwords=#xhlhit

BAG v. 11.08.1988 – 8 AZR 721/85, NJW 1989, S. 316.

http://beck-online.beck.de/Default.aspx?vpath=bibdata\zeits\njw\1989\cont\njw.1989.316.1.htm&pos=0&hlwords=#xhlhit

BAG v. 24.08.1989 – 2 AZR 3/89, NZA 1990, S. 841

http://beck-online.beck.de/?vpath=bibdata%5czeits%5cNZA%5c1990%5ccont%5cNZA.1990.841.1.htm

BAG v. 07.12.1989 – 2 AZR 228/89, NJW 1990, S. 3104

http://beck-online.beck.de/?vpath=bibdata%5czeits%5cNJW%5c1990%5ccont%5cNJW.1990.3104.6.htm

BAG v. 30.01.1990 – 1 ABR 2/89, NZA 1990, S. 571.

http://beck-online.beck.de/?vpath=bibdata%5czeits%5cNZA%5c1990%5ccont%5cNZA.1990.571.1.htm

BAG v. 29.10.1992 – 2 AZR 267/92, NZA 1993, S. 743

http://beck-online.beck.de/?vpath=bibdata%5czeits%5cNZA%5c1993%5ccont%5cNZA.1993.743.1.htm

BAG v. 04.08.1993 – 4 AZR 515/92, NZA 1994, S.39.

http://beck-online.beck.de/?vpath=bibdata%5czeits%5cNZA%5c1994%5ccont%5cNZA.1994.39.1.htm

BAG v. 22.09.1994 – 2 AZR 719/93, NJW 1995; S. 1172.

http://beck-online.beck.de/?vpath=bibdata%5czeits%5cNJW%5c1995%5ccont%5cNJW.1995.1172.1.htm

BAG v. 09.03.1995 – 2 AZR 461/94, NZA 1995, S. 3005.

http://beck-online.beck.de/?vpath=bibdata%5czeits%5cNJW%5c1995%5ccont%5cNJW.1995.3005.1.htm

BAG v. 09.03.1995 – 2 AZR 497/94, NZA 1995, S. 777.

http://beck-online.beck.de/?vpath=bibdata%5czeits%5cNZA%5c1995%5ccont%5cNZA.1995.777.1.htm

BAG v. 03.05.1995 – 5 AZR 15/94, NZA 1995, S. 1191

http://beck-online.beck.de/?vpath=bibdata%5czeits%5cNZA%5c1995%5ccont%5cNZA.1995.1191.1.htm

BAG v. 26.07.1995 – 5 AZR 216/94, NZA 1996, S. 30.

http://beck-online.beck.de/Default.aspx?vpath=bibdata%2Fzeits%2FNZA%2F1996%2Fcont%2FNZA%2E1996%2E30%2E1%2Ehtm#A

BAG v. 07.11.1996 – 2 AZR 648/95, BeckRS 2008 52586.

http://beck-online.beck.de/Default.aspx?vpath=bibdata\ents\urteile\2008\cont\beckrs_2008_52586.htm&pos=0&lasthit=true&hlwords=#xhlhit

BAG v. 04.06.1997 – 2 AZR 526/96, NZA 1997, S. 1281.

http://beck-online.beck.de/?vpath=bibdata%5czeits%5cNZA%5c1997%5ccont%5cNZA.1997.1281.1.htm

BAG v. 17.07.1997 – 8 AZR 328/95, NZA 1997, 1182.

http://beck-online.beck.de/Default.aspx?vpath=bibdata%2Fzeits%2FNZA%2F1997%2Fcont%2FNZA%2E1997%2E1182%2E1%2Ehtm#A

BAG v. 09.10.1997 – 2 AZR 64/67, NZA 1998, S. 141.

http://beck-online.beck.de/?vpath=bibdata%5czeits%5cNZA%5c1998%5ccont%5cNZA.1998.141.1.htm

BAG v. 23.04.1998 – 2 AZR 489/97, NZA 1998, 995.

http://beck-online.beck.de/Default.aspx?vpath=bibdata\zeits\nza\1998\cont\nza.1998.995.1.htm&pos=0&hlwords=#xhlhit

BAG v. 16.09.1998 – 5 AZR 183/97, NZA 1999, S. 384.

http://beck-online.beck.de/?vpath=bibdata%5czeits%5cNZA%5c1999%5ccont%5cNZA.1999.384.1.htm

BAG v. 21.01.1999 – AZR 648/97, NJW 1999, S. 3143.

http://beck-online.beck.de/?vpath=bibdata%5czeits%5cNJW%5c1999%5ccont%5cNJW.1999.3143.2.htm

BAG v. 10.02.1999 – 2 ABR 31/98, NZA 1999, S. 708.

http://beck-online.beck.de/?vpath=bibdata%5czeits%5cNZA%5c1999%5ccont%5cNZA.1999.708.1.htm

BAG v. 29.04.1999 – 2 AZR 352/98; NJW 1999, S. 3212

http://beck-online.beck.de/Default.aspx?vpath=bibdata\zeits\njw\1999\cont\njw.1999.3212.1.htm&pos=0&hlwords=#xhlhit

BAG v. 29.04.1999 – 2 AZR 431/98, NJW 2000, S. 893.

http://beck-online.beck.de/?vpath=bibdata%5czeits%5cNJW%5c2000%5ccont%5cNJW.2000.893.4.htm

BAG v. 16.09.1999 – 2 AZR 123/99, NJW 2000, S. 828.

http://beck-online.beck.de/?vpath=bibdata%2Fzeits%2FNJW%2F2000%2Fcont%2FNJW%2E2000%2E828%2E3%2Ehtm#A

BAG v. 21.09.1999 – 1 ABR 40/98, NZA 2000, S. 781.

http://beck-online.beck.de/?vpath=bibdata%5czeits%5cNZA%5c2000%5ccont%5cNZA.2000.781.1.htm

BAG v. 20.01.2000 – 2 AZR 387/99, NJW 2001, S. 912.
http://beck-online.beck.de/?vpath=bibdata%5czeits%5cNJW%5c2001%5ccont%5cNJW.2001.912.1.htm

BAG v. 22.03.2000 – 7 ABR 34/98, NZA 2000, S. 1119.
http://beck-online.beck.de/?vpath=bibdata%5czeits%5cNZA%5c2000%5ccont%5cNZA.2000.1119.1.htm

BAG v. 20.02.2001 – 1 ABR 30/00, NZA 2001, S. 1033.
http://beck-online.beck.de/?vpath=bibdata%5czeits%5cNZA%5c2001%5ccont%5cNZA.2001.1033.1.htm

BAG v. 13.06.2002 – 2 AZR 327/01, NJW 2002, S. 3349.
http://beck-online.beck.de/Default.aspx?vpath=bibdata\zeits\njw\2002\cont\njw.2002.3349.1.htm&pos=0&hlwords=#xhlhit

BAG vom 24.06.2004 – 6 AZR 383/03, NJW 2004, S. 3059.
http://beck-online.beck.de/Default.aspx?vpath=bibdata\zeits\njw\2004\cont\njw.2004.3059.1.htm&pos=0&hlwords=#xhlhit

BAG v. 04.11.2004 – 2 AZR 17/04, NJW 2005, S. 1533.
http://beck-online.beck.de/Default.aspx?vpath=bibdata\zeits\njw\2005\cont\njw.2005.1533.1.htm&pos=0&hlwords=#xhlhit

BAG v. 15.02.2005 – 9 AZR 116/04, NZA 2005, 1117.
http://beck-online.beck.de/Default.aspx?vpath=bibdata\zeits\nza\2005\cont\nza.2005.1117.1.htm&pos=0&hlwords=#xhlhit

BAG v. 22.09.2005 – 2 AZR 366/04, NZA 2006, S. 204.
http://beck-online.beck.de/?vpath=bibdata%5czeits%5cNZA%5c2006%5ccont%5cNZA.2006.204.1.htm

BAG v. 16.11.2005 – 10 AZR 235/05, NZA 2006, S. 456.
http://beck-online.beck.de/Default.aspx?vpath=bibdata\zeits\nza\2006\cont\nza.2006.456.1.htm&pos=0&hlwords=#xhlhit

BAG v. 11.04.2006 – 9 AZR 610/05, NJW 2006, S. 3083
http://beck-online.beck.de/Default.aspx?vpath=bibdata\zeits\njw\2006\cont\njw.2006.3083.2.htm&pos=0&hlwords=#xhlhit

LAG Hamm v. 04.01.1979 – 8 Ta 105/78, NJW 1979, S. 2488.
http://beck-online.beck.de/Default.aspx?vpath=bibdata%2Fzeits%2FNJW%2F1979%2Fcont%2FNJW%2E1979%2E2488%2E1%2Ehtm#A

LAG Hessen v. 04.09.1995 – 16 SA 215/95, NZA 1996, S. 482.
http://beck-online.beck.de/?vpath=bibdata%5czeits%5cNZA%5c1996%5ccont%5cNZA.1996.482.1.htm

LAG Köln v. 19.01.1996 – 11 (13/11) Sa 685/95, NZA-RR 1996, S. 447
http://beck-online.beck.de/?vpath=bibdata%5czeits%5cNZA-RR%5c1996%5ccont%5cNZA-RR.1996.447.1.htm

LAG Düsseldorf v. 24.03.1998 – 3 (9) Sa 1990/97, BeckRS 2007 47590.
http://beckonline.beck.de/Default.aspx?vpath=bibdata\ents\urteile\2007\cont\beckrs_2007_47590.htm&pos=10&hlwords=BetriebsvereinbarungDAusland#xhlhit

LAG Niedersachsen v. 20.11.1998 – 3 Sa 909/98, BeckRS 1998 30464564.

http://beck-online.beck.de/Default.aspx?vpath=bibdata\onts\dgi\lagniedersachsen\1998\cont\lagniedersachsen.20_11_1998.3sa
909_98.30464564.htm&pos=0&lasthit=true&hlwords=#xhlhit

LAG Hamm v. 09.02.1999 – 6 Sa 1700/98, NZA-RR, S. 240.

http://beck-online.beck.de/?vpath=bibdata%5czeits%5cNZA-RR%5c1999%5ccont%5cNZA-RR.1999.240.1.htm

LAG Hessen v. 16.11.1999 – 4 Sa 463/99, NZA-RR 2000, S. 401.

http://beck-online.beck.de/Default.aspx?vpath=bibdata\zeits\nza-rr\2000\cont\nza-rr.2000.401.1.htm&pos=0&hlwords=#xhlhit

LAG Hessen v. 10.04.2000 – Sa 1858/99, BeckRS 2000 30449441.

http://beckonline.beck.de/?vpath=bibdata%5cents%5cdgi%5cLAG+Hessen%5c2000%5ccont%5cLAG+Hessen.10_04_2000.16+Sa+1858_99.30449441.htm

LAG Rheinland-Pfalz v. 25.07.2001 – 10 Sa 350/01, BeckRS 2001 30467237.

http://beck-online.beck.de/Default.aspx?vpath=bibdata\onts\dgi\lagrheinland_pfalz\2001\cont\lagrheinland_pfalz.25_07_2001.10sa
350_01.30467237.htm&pos=0&lasthit=true&hlwords=#xhlhit

LAG Nürnberg v. 05.01.2004 – 9 Ta 162/03, NZA-RR 2004, S. 631.

http://beck-online.beck.de/Default.aspx?vpath=bibdata\zeits\nza-rr\2004\cont\nza-rr.2004.631.1.htm&pos=0&hlwords=#xhlhit

LAG Hessen v. 28.05.2008 – 8 Sa 2179/06, BeckRS 2008 55973.

http://beckonline.beck.de/Default.aspx?vpath=bibdata\onts\urteile\2008\cont\beckrs_2008_55973.htm&pos=8&hlwords=AuslandÐEntsendung#xhlhit

www.ingramcontent.com/pod-product-compliance
Lightning Source LLC
Chambersburg PA
CBHW050928030726
47586CB00005B/1586